QU'EST-CE QU'UN
PEUPLE LIBRE ?

Libéralisme ou républicanisme

DU MÊME AUTEUR

DES DROITS DE L'HOMME À L'IDÉE RÉPUBLICAINE, PUF, « Recherches politiques », 1985 (en collab. avec L. Ferry) ; rééd. « Quadrige », 1996.

SYSTÈME ET CRITIQUE. *Essais sur la critique de la raison dans la philosophie contemporaine*, Ousia, Bruxelles, 1985 (en collab. avec L. Ferry) ; 2e éd. augmentée, 1992.

LA PENSÉE 68. *Essai sur l'anti-humanisme contemporain*, Gallimard, « Le monde actuel », 1985 (en collab. avec L. Ferry), rééd. « Folio-essais », Gallimard, 1988.

LE SYSTÈME DU DROIT. *Philosophie et droit dans la pensée de Fichte*, PUF, « Epiméthée », 1986.

68-86. ITINÉRAIRES DE L'INDIVIDU, Gallimard, « Le monde actuel », 1987 (en collab. avec L. Ferry).

HEIDEGGER ET LES MODERNES, Grasset, 1988 (en collab. avec L. Ferry) ; rééd. Le Livre de poche, 2001.

L'ÈRE DE L'INDIVIDU. *Contribution à une histoire de la subjectivité*, Gallimard, « Bibliothèque des Idées », 1989.

PHILOSOPHIE DU DROIT, PUF, 1991 (en collab. avec L. Sosoé).

QU'EST-CE QUE LE DROIT ?, Vrin, 1992.

SARTRE, LE DERNIER PHILOSOPHE, Grasset, 1993 ; rééd. Le Livre de poche, 2000.

LES RÉVOLUTIONS DE L'UNIVERSITÉ. *Essai sur la modernisation de la culture*, Calmann-Lévy, 1995.

L'INDIVIDU. *Remarques sur la philosophie du sujet*, Hatier, 1995.

LA GUERRE DES DIEUX. *Essai sur la querelle des valeurs dans la philosophie contemporaine*, Grasset, 1996 (en collab. avec S. Mesure).

KANT AUJOURD'HUI, Aubier, 1997 ; rééd. Flammarion, « Champs », 2000.

LIBÉRALISME ET PLURALISME CULTUREL, éd. Pleins-Feux, Nantes, 1999.

PHILOSOPHER À DIX-HUIT ANS, Grasset, 1999 (en collab. avec L. Ferry).

ALTER EGO. *Les paradoxes de l'identité démocratique*, Aubier, 1999 (en collab. avec S. Mesure) ; rééd. Flammarion, « Champs », 2002.

HISTOIRE DE LA PHILOSOPHIE POLITIQUE (dir.), Calmann-Lévy, 5 t., 1999.

LA LIBÉRATION DES ENFANTS, Bayard, 2002.

QUE FAIRE DES UNIVERSITÉS ?, Bayard, 2002.

UNE ÉDUCATION SANS AUTORITÉ NI SANCTION ?, Grasset, « Le nouveau Collège de philosophie », 2003 (en collab. avec P. Manent et A. Jacquard).

DÉBAT SUR L'ÉTHIQUE. *Idéalisme ou réalisme*, Grasset, « Le nouveau Collège de philosophie », 2004 (en collab. avec C. Larmore).

QU'EST-CE QU'UNE POLITIQUE JUSTE ? *Essai sur la question du meilleur régime*, Grasset, 2004.

LA FIN DE L'AUTORITÉ, Flammarion, 2004.

UN DÉBAT SUR LA LAÏCITÉ, Stock, 2005 (en collab. avec A. Touraine).

LA PHILOSOPHIE, Odile Jacob, 2005 (en collab. avec J.-C. Billier, P. Savidan et L. Thiaw-Po-Une).

ALAIN RENAUT

QU'EST-CE QU'UN PEUPLE LIBRE ?

Libéralisme ou républicanisme

BERNARD GRASSET
PARIS

Avant-propos

« Peuples libres, souvenez-vous de cette maxime : On peut acquérir la liberté ; mais on ne la recouvre jamais. »

Le vibrant appel de Rousseau ne risquait pas, en son temps, d'être vite oublié. Une trentaine d'années plus tard, au cours des années 1790, Hegel, âgé d'environ vingt-cinq ans, s'interrogeait : « Quelle peut être la religion d'un peuple libre ? »

Dans les deux cas, qu'il s'agisse de se demander à quelles conditions politiques un peuple est en droit de s'estimer libre, ou quelles conséquences l'émergence des valeurs démocratiques peut avoir sur sa vision du monde, c'était au fond sur ce qui nous indique qu'un peuple est libre que nous étions invités à méditer. Question délicate, au-delà de quelques évidences, au point que Rousseau encore prenait soin de souligner que « le peuple anglais pense être libre », mais qu'« il se trompe fort », car tout au plus l'est-il, étant donné ce que sont ses institutions, « durant l'élection des membres du Parlement » : en revanche, ajoutait-il, « sitôt qu'ils sont élus, il est esclave, il n'est rien ».

De là à prendre pour objet spécifique de réflexion ce qui pouvait faire qu'au-delà de cet exercice du droit de suffrage un peuple fût réellement libre, il n'y avait qu'un pas, que Hegel, parmi bien d'autres, a franchi pour sa part en cherchant quelles répercussions l'adoption de la souveraineté du peuple comme principe politique devait avoir sur nos consciences. Bien d'autres espaces de questionnement se trouvaient ainsi, tout autant, ouverts : ce livre entreprend d'en explorer quelques-uns, sans prétendre aucunement épuiser un sujet aussi vaste. Par exemple, j'ai choisi de laisser entièrement de côté les questions relevant de ce qu'on pourrait appeler la souveraineté externe d'un peuple — celle qui réside dans son indépendance par rapport à tout autre peuple qui tenterait de le placer sous son joug. Mon fil conducteur est ici bien plutôt celui de la souveraineté interne : qu'est-ce qui peut faire en sorte que le principe démocratique selon lequel c'est le peuple lui-même (l'ensemble des citoyens) qui constitue le souverain (le détenteur légitime du pouvoir) ne reste pas lettre morte, mais se trouve mis en œuvre sous la forme de pratiques effectives de souveraineté ? La forme de relation s'instaurant entre des Etats souverains, démocratiques ou non, ne constitue pas ici mon propos : des thèmes comme ceux de la mondialisation ou de la construction d'une souveraineté post-nationale engageraient d'autres questions que celles auxquelles j'ai choisi de m'attacher. Ces autres questions ont certes elles aussi leur consistance : du moins celles que j'ai choisi de privilégier me sont-elles apparues davantage dictées, au-delà des circonstances immédiates, par certaines des sollicitations issues avec le plus d'insistance, particulièrement en France, de notre environnement politique.

La République est-elle en danger ?

De tous les côtés de l'échiquier politique, l'on ne cesse de faire appel aux nécessités de défendre la République pour conjurer une série de menaces dont elle serait l'objet. Réelles ou supposées, elles semblent en tout cas avoir en commun la remise en cause de ce qui serait notre héritage le plus précieux : précisément, celui de cette « république » et des idéaux qui l'accompagnent, où nous devrions reconnaître la contribution la plus impérissable apportée par le génie français à ce qui peut faire qu'un peuple devienne ou demeure un « peuple libre ». Pas un socialiste, aujourd'hui, qui ne précise que sa propre tradition de pensée est la plus fidèle aux « valeurs républicaines ». Pas un libéral, de gauche ou de droite, qui n'éprouve le besoin de mettre son drapeau dans sa poche pour revendiquer sa fidélité aux exigences supérieures de la République, entendre : de notre République, celle que la Révolution française aurait inventée et dont elle continuerait, seule, à faire valoir de par le monde l'exceptionnalité. Au nom de cette exception républicaine tenue pour ne faire qu'une avec l'exception française il est devenu rituel, dans notre pays, de récuser, comme risquant de nous faire perdre notre âme, tout et n'importe quoi, plus précisément : tout ce qui apparaît de nature à altérer la formule magique de la République.

Aux yeux de beaucoup et de façon aujourd'hui plus particulièrement accentuée, ce serait le projet d'une constitution européenne qui mettrait en péril l'équilibre républicain, parce qu'elle porterait en elle l'anéantissement de notre liberté à l'intérieur et de notre souveraineté à l'extérieur.

Ce péril pouvant toutefois en cacher d'encore plus redoutables, pour d'autres, au demeurant parfois les mêmes, c'est l'Islam qui serait à nos portes et se trouverait bien près d'anéantir cette laïcité où l'on voit la clef de voûte de la République. Parce que la République serait notre meilleur rempart contre l'Islam, elle devrait notamment se prémunir contre ce cheval de Troie que constituerait, demain comme aujourd'hui, l'entrée de la Turquie dans la Communauté européenne.

Plus largement, ce serait le multiculturalisme (ou le pluralisme culturel) qui constituerait l'ennemi mortel de notre pari républicain. En ouvrant nécessairement sur le communautarisme et en sacrifiant l'impartialité de la loi à des pratiques de discrimination positive, il conduirait vers la destruction de la seule communauté qui vaille pour un républicain : celle des citoyens.

Aux yeux de beaucoup, avec cette communauté des citoyens, c'est au demeurant l'Etat lui-même que viendraient menacer toutes les tentatives pour décentrer, déconcentrer, décentraliser, voire autonomiser la gestion de tel ou tel secteur de la société : la société contre l'Etat, tel serait le programme diabolique qui mettrait en danger l'un des héritages républicains les moins négociables, celui d'un Etat conçu comme devant surplomber la société. Un Etat supposé garantir la liberté du peuple en faisant prévaloir le bien commun grâce à une armée de fonctionnaires qui, une fois relégués dans le passé l'armée de conscription et le service militaire, trouverait dans le service public l'ultime paravent contre la transformation du monde en un gigantesque drugstore.

Selon la même logique, mais pour les plus vigilants, le suprême danger résiderait en définitive dans la réforme d'une école qui, une fois « désanctuarisée » et ouverte à son tour aux exigences de la société, se vouerait à substituer aux nobles tâches de l'instruction publique celles, triviales et prosaïques, de la communication, en rendant chaque jour plus d'hommages à la télévision qu'aux bibliothèques.

La plupart au demeurant, voire tous, tiennent que la mondialisation économique concentrerait en elle-même tout ce qui expose la République à sa disparition, en ce qu'elle fait prévaloir sur le souci du bien commun et sur la reconnaissance de quelconques principes universels le compromis des intérêts particuliers : puisque les capitaux, comme autrefois les prolétaires, n'ont pas de patrie, la globalisation de la production et des échanges appellerait irrésistiblement l'uniformisation des cultures nationales par les appareils mondiaux d'une industrie n'ayant de « culturel » que le nom.

Ce rapide repérage des ennemis de la République n'a rien d'exhaustif. Il vise seulement à faire apparaître quelques-uns des motifs les plus insistants à partir desquels le réflexe républicain achève parmi nous de se substituer à toute forme de réflexion politique ouverte, susceptible de laisser leurs chances, dans l'interrogation sur ce qui fait qu'un peuple est libre, à d'autres possibles. Des possibles qui, pour nourrir un débat politique moins appauvri, devraient, de la part d'un pays se réclamant volontiers des Lumières et des vertus du libre examen, obtenir parfois, plutôt que de se trouver d'emblée récusés au nom de leur incompatibilité supposée avec les principes de la République, une attention plus soutenue et une appréciation plus nuancée.

Il me faut écarter d'emblée un malentendu : aucun des motifs que je viens d'évoquer, et qui suscitent le réflexe républicain, ne me paraît insensé, nul et non avenu. De toute évidence, la mondialisation galopante, la crise de l'école, la fragilisation de l'Etat démocratique, la communautarisation des sociétés pluriculturelles, les difficultés de la construction européenne ou la montée des intégrismes religieux constituent autant de dossiers complexes, où se jouent l'avenir des sociétés démocratiques et la possibilité pour un peuple comme le nôtre de moins s'abuser sur sa liberté que ne le faisait, à croire Rousseau, le peuple anglais sur la sienne. Il faudrait toutefois, si cet enjeu ne doit pas être manqué, que ces dossiers puissent être véritablement ouverts, sans préjugés obérant l'analyse, et non pas abandonnés à ce qui s'apparente davantage à un comportement réflexe, plus mécanique que réfléchi.

LE MÉCANISME RÉPUBLICAIN

La référence aux exigences républicaines constitue en fait, aujourd'hui et en France, l'alibi le plus pratiqué pour esquiver les conditions d'un véritable débat, susceptible d'ouvrir sur une diversité de choix possibles, dont chacun, pour s'imposer plutôt que d'autres, aurait à s'argumenter. Je ne plaide certes pas, dans ce livre, contre les idéaux républicains, qui sont bien sûr aussi les miens, comme ils sont ceux de tous les démocrates convaincus : j'en veux bien davantage à la façon dont ces idéaux sont en voie de devenir matière à ce qu'on présente significativement comme de simples « sursauts », qui conduisent à paralyser la réflexion politique et, entre autres conséquences, font qu'à droite comme à gauche toute affirmation d'une quelconque position distinctive devient graduellement impossible. Dans chacun des deux camps, il n'est pratiquement plus d'énonciation politique qui ne finisse dorénavant, sinon par des chansons, du moins par un couplet républicain évitant à chacun d'avoir à s'interroger davantage sur ce qu'il aurait pu dire (et sur ce qu'il pourrait faire) de moins convenu, de moins prévisible, de plus argumenté.

J'écrivais il y a un an, dans *Qu'est-ce qu'une politique juste?*, que le débat politique avait atteint en France, après l'élection présidentielle de 2002, une sorte de degré zéro : je voudrais expliquer dans ce livre-ci en quoi la posture républicaine, pratiquée de tous côtés, constitue sans doute ce par quoi ce consensus stérilisant est venu faire tomber une chape de plomb sur notre univers politique. Non, je le répète, qu'il faille à mes yeux s'arracher à l'orbite républicaine : seul un parti fascisant et racialisant comme le Front national peut sans honte faire ce choix, et l'horreur qu'il inspire à juste titre suffirait par elle-même à conforter notre conscience républicaine. Reste qu'au-delà de cette horreur et des réflexes qu'elle doit légitimement inspirer, comme ce fut le cas lors du second tour des présidentielles de 2002, il n'est pas interdit non plus à la conscience, même à la bonne conscience assurée de ses valeurs, de parfois réfléchir. « Peuples libres », demandez-vous si vous n'avez pas oublié à quelles conditions vous pouvez vous dire tels, et si ces conditions sont vraiment remplies autour de vous...

Les réflexes de survie sont certes nécessaires, mais toute la vie, dès lors qu'elle s'arrache à ses formes les moins élaborées, n'est pas faite de mécanismes de ce type : je voudrais être assuré que notre vie politique n'est pas en train, à mesure que la logique du réflexe républicain s'y substitue de plus en plus largement aux tâches d'une réflexion authentiquement ouverte et critique, de se laisser gagner par ce qui l'apparenterait ainsi à celle des organismes les plus rudimentaires. C'est pour m'en assurer, et pour prévenir un tel risque, sérieux à mes yeux, qu'il m'est apparu nécessaire d'ouvrir à nouveau le dossier de ce républicanisme qui reste si fortement attaché, dans notre pays, à la représentation que nous nous faisons de la liberté d'un peuple.

15

Parce que, plus que jamais, ce républicanisme est sur le point de devenir en France la chose du monde la mieux partagée politiquement, cette extension croissante de la référence républicaine, pratiquée sous sa forme la moins réflexive, se solde par une compréhension de plus en plus faible de ce que l'option ainsi défendue signifie vraiment, de ce par quoi elle se distingue d'autres options possibles en matière de représentation de la démocratie, voire de ce qui fait qu'il y a en vérité, en France et hors de France, d'autres interprétations des idéaux républicains et d'autres types de politiques concevables pour les servir.

Notre tradition républicaine a certes de réels mérites, qu'il ne me viendrait pas à l'esprit de contester, mais pourquoi la conscience de ces mérites devrait-elle nous empêcher de confronter cette tradition à d'autres conceptions et à d'autres pratiques de la démocratie, référées ou non à la République ? Mieux, pourquoi exclure qu'à la faveur d'une telle confrontation, nous puissions situer avec plus de précision et de lucidité ce que cette tradition nous a légué, ce qu'assurément elle nous apporte, mais aussi ce dont parfois elle nous prive ? En sorte que nous en venions à améliorer la façon dont nous assumons le pari fondamental de la modernité politique : celui de la démocratie comprise comme ce régime qui a érigé en principe la souveraineté du peuple et a fait de la liberté et de l'égalité de tous les hommes en droits ses valeurs suprêmes.

16

A nous convaincre que l'alchimie républicaine, telle du moins que nous nous la pratiquons
en France, constitue une formule magique qui
nous prémunit contre toutes les difficultés, nous
restons trop prudemment, trop frileusement, trop
paresseusement fixés sur une certaine représentation de la démocratie, dont nous attendons que
les recettes déjà anciennes apportent aux problèmes de l'heure les solutions qu'ils appellent.
Nous pourrions pourtant procéder à l'envers. Plus
raisonnablement même, nous devrions le faire, et
considérer que les exigences nouvelles auxquelles nous sommes aujourd'hui confrontés
appelleraient au moins en partie une autre
manière d'être modernes, c'est-à-dire démocrates : cette autre façon d'être démocrates nous
permettra-t-elle, quand nous l'aurons cernée avec
assez de précision, de continuer à nous dire néanmoins « républicains », ou en tout cas de continuer à nous dire « républicains » au sens où, en
France, nous tendons à entendre l'exigence républicaine ? Pour le moins la question me semble
mériter d'être véritablement ouverte, et de ne pas
être refermée avant que les termes en eussent été
pleinement déployés. Tel est au fond l'objectif
principal de ce livre.

Qu'est-ce qu'un peuple libre ?

De cet objectif se peut déduire la démarche que je me suis proposé de suivre. Elle consiste à faire apparaître en toute clarté quel écart nous pouvons observer entre ce qui constitue, parmi les traditions élaborées par notre modernité politique dans son effort pour se représenter à quelles conditions un peuple peut légitimement se penser comme libre, celles qui restent les plus vivantes : le libéralisme politique et le républicanisme.

Plusieurs types de considérations me sont apparues justifier une tentative pour creuser cet écart et lui donner toute sa portée.

Une considération liée, tout d'abord, à ce qui constitue le pari le plus certain et le plus précieux de la démocratie : le pari du pluralisme. Faire resurgir, à l'encontre du réflexe républicain et de la façon dont il tend à pétrifier les possibles, quelle pluralité d'options nous offre, dans le camp de la démocratie, l'héritage de la modernité politique, c'est d'ores et déjà redonner du jeu, aujourd'hui, à l'imaginaire démocratique lui-même.

Cette démarche m'a été dictée aussi par une considération de méthode. Dans l'économie générale du programme de réflexion que je m'efforce de remplir à la faveur des livres successifs que j'écris, celui-ci se conçoit comme le second volet d'un diptyque dont je sais gré à mon éditeur que de lui avoir permis d'être livré au public dans un délai aussi rapproché. Publié en octobre 2004, *Qu'est-ce une politique juste ?* s'attachait déjà à tenter de réintroduire quelque clarté dans l'étonnant état de confusion où se trouve plongé le débat politique français depuis les élections de 2002.

Face à la suspension de tout clivage net entre la droite et la gauche, réunies dans une sorte de consensus par défaut (qui s'était forgé contre Le Pen, mais qui s'est répété ensuite contre les foulards coraniques !), je m'étais proposé d'ouvrir quelques dossiers difficiles. Il s'agissait ainsi d'aider la gauche, qui reste ma famille politique, à rattraper le temps perdu et à retrouver des points de repère lui permettant de se situer à nouveau de façon distinctive dans des débats qui ne pourront éternellement être contournés. A cette fin, j'avais pris pour fil conducteur une tentative de reconstruction des deux traditions de pensée et d'action, celle du libéralisme et celle du socialisme, qui, depuis le XIXᵉ siècle, ont donné lieu aux clivages politiques les plus durables. Cette tentative de reconstruction ouvrait alors sur une incitation : sortir de ce conflit d'un autre âge (celui auquel le marxisme donnait encore sens) et prendre acte du fait que, désormais, les voies du renouvellement imposeraient de s'approprier sans préventions les ressources d'un libéralisme politique capable d'expliciter la place susceptible

19

d'être ménagée, dans sa propre logique, à l'exigence de justice sociale. Aggiornamento de grande ampleur, j'en conviens ! Surtout en France. Plus que partout ailleurs dans les démocraties, la longue domination du marxisme sur la pensée socialiste y a en effet jusqu'ici hypothéqué les chances de voir s'élaborer, malgré les efforts malheureux d'un Michel Rocard, un socialisme authentiquement démocratique. Que la formule théorique d'un tel socialisme démocratique se trouve sans doute, depuis le début des années 1970, disponible dans l'héritage du libéralisme politique refondé en philosophie par John Rawls ne constitue qu'en apparence un paradoxe que ma réflexion sur les conditions d'une politique juste s'était efforcée d'aider à maîtriser.

A cet ancien débat entre libéralisme et socialisme, qui occupe encore si étrangement et si confusément le devant de notre scène politique, vient cependant, non pas exactement se superposer, mais se combiner un autre débat, entre républicanisme et libéralisme, auquel le second volet du diptyque entamé avec *Qu'est-ce qu'une politique juste ?* se trouve ici consacré. Un autre débat de provenance tout aussi ancienne, mais dont l'acuité apparaît aujourd'hui plus forte, une fois relativisé le clivage entre socialisme et libéralisme, dès lors que la réflexion s'aventure au-delà des rodomontades qui assurent la vie apparente des appareils politiques.

Le réflexe républicain que j'ai pris pour cible en ouvrant mon propos ne s'affirme en effet comme réflexe qu'à l'encontre d'un ennemi dont j'ai repéré quelques figures possibles, mais dont l'identité ne manque pas d'être bien souvent celle du libéralisme. Être républicain, en France et aujourd'hui, c'est avant tout une nouvelle manière de ne pas être libéral : manière nouvelle, non pas certes, je le répète, au sens où le républicanisme dont il s'agit serait la dernière invention politique de l'heure, mais en ce que depuis une dizaine d'années ce républicanisme est venu, de façon pleinement structurée, relayer le marxisme et le communisme défunts pour nourrir l'hostilité maintenue à ce que l'on croit être le libéralisme.

De cette mue ou de cette mutation contemporaine survenue dans l'antilibéralisme ou dans l'« illibéralisme » français, je m'étais aperçu de façon fortuite lors d'une sorte d'expérience intellectuelle que je voudrais m'autoriser à évoquer, pour ce qu'elle éclaire à mes yeux de ce qui s'est joué dans un tel déplacement.

LE VIRAGE RÉPUBLICAIN DES ANNÉES 1990

L'expérience eut lieu pour moi à la fin de 1998 lors d'une invitation de la Société nantaise de philosophie à aller présenter le débat nord-américain entre libéralisme politique et communautarisme. Au lendemain d'une conférence classique dans un cinéma de la ville, je m'étais trouvé convié, le samedi matin, à une séance de travail plus rapproché, à l'Université, avec une quinzaine de personnes, pour la plupart professeurs de philosophie dans la région. Séance vigoureuse, conflictuelle, passionnée, bien au-delà de ce que j'imaginais. De fait, un vif étonnement me saisit alors devant les vibrantes professions de foi républicaine multipliées par mes collègues pour échapper à la suggestion faite la veille devant deux cents personnes : c'était visiblement en pure perte que j'avais tenté d'étayer la conviction selon laquelle la lutte contre le communautarisme passait par la réintégration de l'héritage libéral (celui de la reconnaissance de l'individu et de ses droits comme des valeurs sacrées) dans notre conscience politique (y compris à gauche). Contre le communautarisme, je me trouvais sommé de considérer qu'il n'était à vrai dire point d'autre recours envisageable que les vertus républicaines ! En sorte que, pour ne pas battre en retraite, j'avais improvisé une parade perçue comme plus hérétique encore. Elle consistait à attirer l'attention sur ce par quoi, en se référant lui aussi à une communauté de valeurs et de traditions irréductibles à l'expression des libertés individuelles, le républicanisme ainsi revendiqué entretenait une parenté structurelle étonnante avec le communautarisme ! Incrédulité et même, on l'imagine sans peine, stupéfaction de ceux qui, les uns fraîchement revenus des illusions du communisme, les autres soldats perdus d'un gauchisme encore proche et bientôt réinvesti dans l'altermondialisme, restaient néanmoins convaincus que le libéralisme, en quelque sens qu'on l'entendît, demeurait pour toujours l'ennemi à abattre !

Le temps a passé, mais je reste convaincu d'avoir alors, sur l'un de ses terrains professionnels favoris, mesuré pour la première fois *in vivo*, si je puis dire, la force de ce réflexe néo-républicain. Il avait certes d'ores et déjà, une dizaine d'années auparavant, conduit à saluer Jean-Pierre Chevènement comme un héros politique et à partager en 1989, lors de la première affaire du foulard coranique, les convictions des intellectuels hostiles au nom de la laïcité à toute forme de reconnaissance publique des différences culturelles. Mais ce que dans l'échange argumentatif je mesurais infiniment mieux ce jour-là, c'était de quelle dose de malentendus procédaient, en toute bonne foi, de telles sympathies ou adhésions. Sept ans après, compte tenu de l'ampleur encore plus grande prise par de tels malentendus, je ne regrette assurément pas ma conclusion d'alors : « La véritable question qui nous est léguée par ces profonds débats qui traversent aujourd'hui la philosophie politique contemporaine pourrait être de savoir, non pas comment sortir du libéralisme (politique), mais

23

bien comment y entrer. En clair : républicains, encore un effort [1] ! »

Une élémentaire prudence, bien compréhensible, m'avait néanmoins retenu d'aller encore au bout de l'allusion : « Soyez libéraux ! » Depuis lors ce type d'affrontement est devenu en toute transparence le pain quotidien de notre vie politique, puisque derrière chacun des adversaires que le réflexe républicain identifie, c'est le libéralisme qu'il croit pouvoir pointer. En 1995, même le fameux article publié par Régis Debray dans *Le Nouvel Observateur* : « Etes-vous démocrate ou républicain ? », pouvait encore rester, délibérément ou non, imprécis dans l'identification de la véritable alternative. Dénoncer toutefois, peu après le deuxième débat sur le voile coranique (1994), « la confusion intellectuelle entre l'idée de *république* issue de la Révolution française, et l'idée de *démocratie*, telle que la modèle l'histoire anglo-saxonne », c'était déjà, tout aussitôt, s'en prendre à « la société libérale et consumériste » en l'opposant comme la « communauté des convoitises » à celle, républicaine, des « principes ».

Cette présentation du débat a certes aujourd'hui vécu, tant il est vrai qu'elle ajoutait largement à la confusion. Même Régis Debray

---

1. On retrouve le texte de cette discussion, et la conférence qui avait précédé, in : A. Renaut, *Libéralisme politique et pluralisme culturel*, Nantes, Editions Pleins Feux, 1999.

a pris quelque distance avec sa schématisation d'alors. En vérité, l'idée républicaine ne fait bien sûr pas antithèse avec l'idée démocratique, mais c'est de toute évidence à l'intérieur de la conception moderne de la démocratie (définie par référence au principe de la souveraineté du peuple) qu'il faut bien plutôt situer et confronter les deux versions de l'idée démocratique qui correspondent à l'inflexion libérale et à l'inflexion républicaine. Au demeurant, ni la première inflexion ne se réduit à la « démocratie en Amérique », ni la seconde à la « démocratie en France » : comme on le verra, entre autres objections à une présentation aussi sommaire et cocardière, force est d'enregistrer que ce n'est bien sûr pas la France, tant s'en faut, qui a inventé l'idée républicaine ! Même fautif et politiquement égarant, le montage de cette alternative plus spectaculaire que rigoureuse (qui se calquait, paradoxalement, sur l'usage américain des termes de « démocrate » et de « républicain », au sens où ils désignent aux Etats-Unis les deux partis aux prises pour les élections du Président) reste néanmoins, rétrospectivement, un témoignage significatif. S'y préparait en effet un conflit devenu depuis lors plus clair et conceptuellement plus juste : celui qui oppose (sur quelles bases et jusqu'à quel point ?, il va falloir s'appliquer à le cerner) deux acceptions sensiblement différentes de l'idée démocratique au sens moderne. Deux acceptions qui n'ont cessé depuis dix ans de se laisser apercevoir de plus en plus crûment dans la plupart des débats politiques – sur les questions de l'école, sur les problèmes de souveraineté nationale, sur le dossier des langues régionales ou minoritaires, de leur reconnaissance comme de leur apprentissage, plus généralement sur la reconnaissance de la diversité culturelle, voire sur la question de la parité hommes/femmes ou, plus complètement, sur la reconnaissance de la diversité générique.

Dans tous ces cas, sur la base d'une adhésion sincère aux principes constitutifs de l'idée démocratique, un clivage profond en est venu à s'établir entre républicains et libéraux. Ce clivage ne recoupe pas celui de la droite et de la gauche. S'il est des libéraux de droite (François Bayrou, Alain Madelin, eux-mêmes très éloignés l'un de l'autre sur la compréhension du libéralisme), il en est aussi de gauche (Michel Rocard ou Jacques Delors, mais aussi, depuis eux, Dominique Strauss-Kahn ou d'autres, je n'ose plus dire Laurent Fabius, dont les positions sont devenues elles-mêmes si brouillées). Parallèlement, s'il est des républicains de gauche, il en est bien sûr aussi de droite, notamment dans l'héritage du gaullisme. Plutôt que de reproduire le clivage entre droite et gauche, le clivage entre républicains et libéraux pourrait bien être ainsi en voie de lui succéder ou, en tout cas, de le faire dispa-

26

raître derrière lui et derrière ses enjeux aujourd'hui plus marqués et plus décisifs. Tentons donc une première caractérisation de cette confrontation des deux démocraties, libérale et républicaine : caractérisation encore provisoire, délibérément incomplète et destinée seulement à fournir à la démarche qu'il va falloir entreprendre pour la compléter ses points de repère minimaux.

LE DÉBAT À LA LUMIÈRE DE LA PHILOSOPHIE POLITIQUE

Puisque l'affirmation républicaine ne s'accomplit aujourd'hui que par opposition au libéralisme, c'est d'une appréhension minimale de ce que signifie être libéral qu'il faut partir, quitte à voir se construire seulement ensuite ce par quoi être républicain entend constituer une autre manière de concevoir comment un peuple peut exercer librement sa souveraineté.

Libéral s'entend ici au sens qu'a ce terme dans toute la tradition de la philosophie politique moderne qui se caractérise, avant ou après l'invention même du terme de « libéralisme », par une certaine façon d'être démocrate, disons de Locke à Rawls : nous y reviendrons pour construire en détail une sorte de type idéal du libéralisme, mais il faut d'ores et déjà souligner que, dans cette tradition, c'est d'abord et avant tout du libéralisme politique qu'il s'agit. Le point est d'emblée décisif : ce qui identifie une telle tradition, c'est primordialement la conception et la pratique d'un Etat démocratique qui prend pour principe de limiter son pouvoir par sa distinction d'avec la société et par sa volonté, non seulement de respecter, mais bien de garantir l'autonomie de celle-ci en protégeant les droits des individus et des groupes d'individus qui la composent.

C'est dans cette appréhension libérale du rôle de l'Etat que le républicain diagnostique, j'emprunte l'expression à l'article déjà cité de Régis Debray, « l'anéantissement de la chose publique » en précisant tout aussitôt, polémiquement, qu'« en république, l'Etat surplombe la société », tandis qu'en démocratie (libérale, faut-il compléter et rectifier) « la société domine l'Etat ». Laissons de côté, pour l'instant, la pointe polémique : c'est ce clivage interne à l'idée démocratique moderne que je voudrais interroger, certes pour en comprendre la genèse et la portée, mais aussi (l'effort entrepris pour passer d'une approche polémique à une approche compréhensive n'a pas d'autre objectif) pour apercevoir comment nous nous situons nous-mêmes aujourd'hui par rapport à lui.

L'avantage des universitaires (il faut bien qu'ils en aient quelques-uns et que, de temps en temps, je défende ma boutique), c'est que, moins sommés de s'exprimer sur le temps court et selon le rythme syncopé qu'affectionnent les médias, ils peuvent se donner les moyens de construire avec netteté le sens d'une interrogation. A cette fin, il leur revient d'en sérier les niveaux, là où en général l'échange médiatique les fait interférer, les brouille, les confond. Je ne nie pas pour autant que cet échange médiatique ait aussi ses vertus pour les universitaires, quand ils s'y trouvent conviés, à commencer par celle de les contraindre à sortir de leur pré carré et à s'adresser à d'autres qu'eux. Il n'en demeure pas moins que, quand un objet se trouve aussi chargé d'histoire que d'investissements immédiatement contemporains, aussi lesté de conceptions profondément élaborées que d'une puissante charge affective et quasi émotionnelle, comme c'est le cas pour tout ce qui touche en France à « la République », l'art du détour et le souci de l'argumentation que cultive le discours universitaire deviennent de puissantes garanties contre l'amalgame, l'à-peu-près et, finalement, l'insignifiance du prêt-à-penser. Par précaution et par volonté d'efficacité, je proposerai donc ici de procéder comme le fait tout universitaire qui se respecte à l'égard d'un objet d'étude dont il mesure la complexité : entendre d'abord de façon très limitative le débat entre libéralisme politique et républicanisme, en ne considérant pas d'emblée toutes les formes qu'il a pu prendre dans l'histoire, ni toutes celles qu'il prend aujourd'hui, mais choisir un point de départ précis et significatif pour baliser à partir de là l'espace de ce qui se trouve en discussion.

Le point de départ qui, en l'occurrence, m'a semblé s'imposer est fourni par la puissante reformulation du libéralisme politique qu'a constituée à partir de 1971 l'œuvre du philosophe américain John Rawls. Pourquoi cette conviction? Rawls s'était en fait proposé expressément de reformuler les principes du libéralisme politique – si je puis dire : le noyau dur d'une théorie des limites de l'État, dont il s'est employé à dégager le plus complètement possible les normes ultimes qui l'organisent. Il ne s'agit certes aucunement pour moi de présenter ici pour elles-mêmes les thèses de Rawls, dont j'accorde que le public n'a guère besoin qu'on les lui expose même dans leurs grandes lignes : il se trouve simplement que, parmi toutes les réactions suscitées par cette dernière grande reformulation théorique du libéralisme politique, il en est une qui nous intéresse directement ici et qui engage précisément la posture néo-républicaine.

Les mieux connues de ces réactions se sont exprimées sous deux formes. D'une part sous la forme d'un contre-courant antilibéral de type communautarien. D'autre part (ce qui a contribué à brouiller encore l'image déjà floue que nous avions en France de l'option libérale) à la faveur d'une radicalisation néo-libérale (ou « libertarienne ») qui, au nom d'une supposée orthodoxie, a défiguré dans la théorie comme dans la pratique l'héritage libéral qu'avait essayé d'expliciter Rawls. Paradoxalement plus ignorée en France, une troisième réaction s'est pourtant développée dans l'orbite même du républicanisme contre cette réactivation rawlsienne du libéralisme politique : de fait, notre propre fibre républicaine se croit volontiers si fermement *sui generis* qu'elle se dispense souvent de tisser de quelconques liens avec d'autres montées en puissance du républicanisme, pourtant fort éclairantes. Celle dont il s'agit s'identifie à ce que je désigne depuis une dizaine d'années comme un courant « républicaniste » : adjectif disgracieux à nos oreilles, j'en conviens, mais que j'utilise pour spécifier ce moment contemporain, majoritairement anglophone, d'une problématique républicaine qui certes le déborde, mais qui nous fournit là de quoi mieux comprendre pourquoi il est aujourd'hui deux façons différentes d'être démocrate.

Les principaux représentants de ce courant républicaniste anglophone sont actuellement le grand historien de la philosophie et philosophe anglais Quentin Skinner, le philosophe néo-zélandais John Pocock et le philosophe australien Philip Pettit. Ce courant républicaniste, dont je voudrais dégager, dans cet avant-propos, les modalités de désaccord avec la version libérale de la démocratie, présente l'intérêt tout à fait exceptionnel, par rapport à son analogue français, d'être directement en prise sur les formes contemporaines du libéralisme politique – si je puis dire : de savoir de quoi il parle quand il se veut antilibéral ou « illibéral », ce qui n'est malheureusement presque jamais le cas chez les « républicains-français ». J'invite donc mon lecteur à un effort : déporter son regard, dans un premier temps, de ce qui se joue en France sous ses yeux vers ce qui s'est élaboré ailleurs à travers les mêmes références et qui contribue à en éclairer la teneur. A la faveur de cet effort, non seulement il prendra avec l'émotionnel et l'affectif cette distance qui permet la réflexion, mais il apercevra comment, dans ce débat entre les deux inflexions contemporaines de l'idée démocratique, s'entrecroisent divers types d'enjeux : certains, qui relèvent du conflit des philosophies politiques, sont des enjeux techniquement philosophiques qu'il est indispensable de mesurer avant que de donner son adhésion à tel ou tel « camp »; d'autres, moins techniques, concernent le rapport de chacun d'entre nous à la cité et à l'exercice, dans cette cité, de la citoyenneté.

Avant-propos

Entrons donc dans ce débat à partir de la façon dont Rawls expose lui-même, après la *Théorie de la justice*, sa propre situation vis-à-vis de cet éventuel clivage entre libéralisme et républicanisme que son livre avait fourni à certains l'occasion de creuser à nouveau. *Libéralisme politique*, où il synthétise ses travaux accomplis depuis 1971, lui a donné à cet égard l'occasion d'une importante mise au point [1]. Le contexte en est la reprise et l'explicitation de l'idée, souvent défendue par lui, selon laquelle l'Etat libéral, issu des guerres de religion anglaises des XVIe et XVIIe siècles, s'était constitué par neutralisation politique des conceptions du bien, c'est-à-dire des choix divers que les individus et les groupes d'individus font des valeurs morales qui organisent leurs existences. Ces choix s'étaient révélés, à la faveur des conflits religieux, trop antagoniques pour fonder un consensus permettant la coexistence : la naissance et le devenir du libéralisme politique ont donc correspondu pour cette raison au projet de concevoir l'Etat comme un Etat neutre ou laïc vis-à-vis de ces conceptions du bien. L'Etat désigné plus tard comme « libéral » est ainsi celui qui a privilégié sur la

---

1. J. Rawls, *Libéralisme politique* (1993), trad. par C. Audard, Paris, PUF, 1995, p. 250-251.

considération du « bien » celle du « juste », sous la forme des règles permettant de répartir avec le plus de justice possible les charges et les avantages de la vie en société. C'est dans le contexte de cette mise au point que Rawls s'emploie à situer sa version du libéralisme (défini par cette idée de « neutralité » de l'État libéral) par rapport à deux positions qu'il rapproche tout en les distinguant : le « républicanisme classique » et l'« humanisme civique » – lesquelles lui semblent plus ou moins impliquer au contraire une sorte d'engagement moral ou de prise de position de l'Etat dans le domaine moral.

Une première surprise attend ici nos « républicains-français », convaincus que le libéral est un ennemi juré, bradant l'Etat et le bien commun aux valeurs, non plus certes, aujourd'hui, du « grand capital », mais en tout cas du « marché » : à l'égard du « républicanisme classique », Rawls prend en effet soin de souligner qu'il n'est « en aucune façon opposé » à la forme que sa propre *Théorie de la justice* a donnée au libéralisme politique. Tout au plus pouvait-il se trouver ici, ajoute-t-il, certaines distances quant à la conception des institutions supposées garantir la liberté du peuple souverain, mais il n'existait pas encore, à ce niveau, d'« opposition fondamentale » entre les deux courants : le républicanisme classique ne présupposait aucune doctrine globale de teneur religieuse, philosophique ou morale.

Appréciation toute différente à l'égard d'une autre forme de républicanisme, que Rawls appelle l'humanisme civique et dont il indique qu'il s'agit d'un dérivé de l'aristotélisme : une telle position, dont nous verrons à quoi elle peut correspondre, est stigmatisée comme entretenant avec le libéralisme politique « une opposition fondamentale ». Où l'on commence donc à apercevoir pourquoi s'imposent, dans l'évaluation réciproque de ces deux conceptions, libérale et républicaine, de la démocratie, davantage de précautions que ce n'est le cas dans les condamnations à l'emporte-pièce. De fait, force sera bien de clarifier ce qui peut faire que, sous certaines formes, le républicanisme apparaît (en tout cas est apparu à Rawls, à tort ou à raison) capable de nourrir un antilibéralisme : sous certaines formes qui engagent en particulier une question aussi présente aujourd'hui, dans nos débats sur les sociétés contemporaines et leurs dérives, que celle du civisme.

Considérons tout d'abord ce que Rawls appelle le « républicanisme classique ». Cette version du républicanisme est présentée par lui comme une position qui exige des citoyens d'une société démocratique, s'ils veulent constituer un peuple libre, s'ils entendent, pour ce faire, « préserver leurs libertés et leurs droits fondamentaux (y compris les droits civiques qui garantissent leurs libertés privées) », qu'ils possèdent à un degré suffisant certaines « vertus politiques » et qu'ils soient « prêts à prendre part à la vie publique ». En note, pour illustrer cette position « républicaine » au sens classique du terme, Rawls se réfère à Machiavel et à Tocqueville – ce qui, pour un lecteur français (du moins pour un « républicain-français »), ne manque pas de déconcerter légèrement (le panthéon républicain ne les accueille pas si souvent) et sur quoi il faudra donc revenir au-delà de cet avant-propos. A suivre Rawls en tout cas, « républicaine » au sens classique serait une position qui fait dépendre la sauvegarde des droits fondamentaux et des libertés privées de deux conditions : d'une part l'existence de certaines « vertus politiques », d'autre part la disponibilité des citoyens à participer à la vie publique.

Concernant les « vertus politiques », Rawls renvoie alors à ce qu'il en a dit lui-même dans son ouvrage. A la base de sa conception de la justice comme équité, y indique-t-il, « il y a le fait que, parmi les vertus politiques, se trouvent la tolérance et le respect mutuel ainsi qu'un sens de l'équité et de la civilité » : de telles vertus devraient être « encouragées » par le type de régime politique qui correspond au libéralisme. Il s'agirait là au fond d'un capital politique accumulé, puisque « ces vertus se développent lentement dans le temps et ne dépendent pas seulement des institutions politiques et sociales existantes (elles-mêmes lentement instaurées), mais aussi de l'expérience générale des citoyens et de leur connaissance du passé ». Sédimentation produite dans les consciences par l'expérience politique des citoyens vivant en démocratie, cet ensemble d'habitus s'est trouvé acquis peu à peu, aussi bien à travers l'expérience des catastrophes passées qu'a pu entraîner la négation des valeurs démocratiques que grâce à celle des bienfaits occasionnés par leur respect. De telles expériences engendrent chez les citoyens des propensions à la coopération, au respect mutuel, à la tolérance, autant de « vertus politiques » qui seraient absentes dans d'autres contextes, n'ayant pas proposé ces mêmes expériences : comme tout capital, celui-ci est certes susceptible, à la faveur de nouvelles expériences, de se renforcer encore, mais aussi de se déprécier – ce pourquoi Rawls ajoute qu'il appartient au régime d'encourager de telles vertus pour les inciter à « se réaffirmer et à s'exercer dans l'actualité du présent ». Ailleurs dans son livre, il appelle ainsi à la « reconnaissance publique » de ces vertus politiques, nécessaires pour conserver la structure de base d'une société bien ordonnée. Devant cette évocation d'une reconnaissance et d'un encouragement publics des vertus politiques, le lecteur français ne peut certes que penser à une thématique qu'il identifie lui aussi, spontanément, comme républicaine : celle de ce qu'on appelle aujourd'hui l'« éducation à la citoyenneté » et qu'on nommait autrefois l'« instruction civique », avec pour horizon la conviction que la construction d'une « morale civique » fait partie des conditions de possibilité d'une coexistence démocratique où chacun, au sein d'un peuple libre, respecte les droits de l'autre.

Puisque, lors même que nous entamions un parcours destiné à cerner la logique d'une brouille survenue dans le camp de la démocratie, nous tenons ainsi un moment d'empathie, profitons-en encore un instant et considérons plus attentivement ce qu'un libéral comme Rawls nous dit de cette thématique classiquement républicaine de l'éducation à la citoyenneté ou au civisme. Dans le contexte qui est le sien, évoquant l'existence des multiples « sectes religieuses » qui combattent la culture du monde moderne (chacun songera ici aux exemples qu'il voudra), il se demande quelles dispositions le libéralisme politique doit prendre concernant « l'éducation des enfants de ces sectes ». Question de philosophie politique appliquée dont on voit immédiatement ce qu'elle a de passionnant : sachant que l'Etat libéral se veut neutre à l'égard des conceptions du bien et que, dans un tel Etat, il existe divers groupes caractérisés par des traditions et des formes de vie différentes, quelles exigences cet Etat est-il en droit d'imposer en matière d'éducation à des communautés religieuses qui, en s'opposant à la culture du monde moderne, développent en réalité chez leurs enfants des valeurs susceptibles de les rendre peu réceptifs aux vertus politiques dont la société démocratique a besoin ?

La réponse du libéral qu'était Rawls ne peut que retenir notre attention par son caractère nuancé, et par la façon dont elle pourrait s'inscrire aisément, de fait, dans la tradition du républicanisme classique. En matière d'éducation, le libéralisme antérieur, explique-t-il en mentionnant John Stuart Mill et Kant, pouvait se croire en droit d'imposer des exigences assez fortes « en vue d'encourager les valeurs de l'autonomie et de l'individualité » : on croyait encore compatibles avec la notion libérale de l'Etat la prise en charge et la défense par celui-ci de conceptions globales de l'existence et de ses fins, avec des contenus suffisamment déterminés, en matière de conception du bien et du mal, susceptibles d'être transmis par l'école. En conséquence, l'Etat libéral a pu longtemps estimer légitime de faire transmettre par l'école des idéaux se structurant autour des valeurs de l'autonomie et de l'individualité. Est-ce encore le cas aujourd'hui, où toute position de quelconques valeurs, même minimales, que l'Etat ferait siennes peut apparaître relever d'une époque que caractérisaient encore des certitudes désormais révolues ?

Qu'est-ce qu'un peuple libre ?

ÊTRE LIBÉRAL À L'ÉPOQUE DE LA GUERRE DES DIEUX ?

Ce que suggère Rawls et que l'on peut aisément prolonger, c'est que la situation où nous nous trouvons placés dans nos démocraties postmodernes est devenue plus complexe. De fait, nous vivons et agissons après la radicalisation du polythéisme des valeurs ou du pluralisme des conceptions du bien et du mal. A l'âge de ce que Max Weber avait décrit comme une nouvelle « guerre des dieux », celle où les divers systèmes de valeurs s'opposent aussi irréductiblement que les dieux des panthéons antiques, nous ne croyons plus guère que certaines convictions morales globales (plutôt que d'autres) dérivent avec nécessité de notre nature humaine (de quelque manière que l'on conçoive cette dernière, comme raison ou comme sentiment). En conséquence, par rapport à ses configurations antérieures, le libéralisme ne pouvait que lui-même se transformer profondément.

De fait, le libéralisme contemporain n'enracine plus ses options (en matière de droits ou de dispositifs institutionnels) dans une quelconque conception globale de l'existence et de ses fins (si l'on préfère : dans une philosophie morale déterminée). En se bornant à réfléchir aux conditions institutionnelles et organisationnelles rendant possible l'existence d'un peuple libre, ce libéralisme est devenu purement « politique »,

40

accentuant encore ainsi, par la force des choses, le postulat de neutralité de l'État. En conséquence, souligne Rawls, ce libéralisme cantonné sur le terrain rigoureusement politique (celui, notamment, d'une distinction rigoureuse entre Etat et société) ne saurait faire valoir, en matière d'éducation, que « des exigences moindres » par rapport à celles que croyaient pouvoir envisager les libéraux des siècles passés. Dans ces conditions, que peut encore demander l'Etat libéral? Concernant les exigences d'éducation dont l'Etat libéral est en droit de demander le respect aux diverses sectes, voici la réponse de Rawls :

« Il demandera simplement que l'enseignement comporte l'étude des droits civiques et constitutionnels des jeunes gens afin qu'ils sachent que la liberté de conscience existe dans leur société et que l'apostasie n'est pas un crime aux yeux de la loi, tout cela afin de garantir que, lorsqu'ils deviendront adultes, leur adhésion à cette secte religieuse ne sera pas fondée sur l'ignorance de leurs droits fondamentaux ou sur la peur de châtiments pour des crimes qui n'existent pas. »

Tel serait donc, pour ainsi dire, le versant négatif de l'éducation civique libérale : dispenser une éducation sur les droits fondamentaux, permettant aux membres d'un quelconque groupe de ne pas être assujettis à ce groupe et à ses valeurs, mais au contraire d'avoir conscience de la distance que ses droits lui permettent de prendre. Un versant positif vient alors tenter de compléter ce programme libéral d'éducation d'un peuple à sa propre liberté :

« En outre, l'enseignement doit les préparer à être des membres à part entière de la société et les rendre capables d'indépendance ; il devrait aussi encourager les vertus politiques afin qu'ils soient désireux de respecter les termes équitables de la coopération sociale dans leurs relations avec le reste de la société. »

Où l'on retrouve, précisée, la perspective déjà entrevue d'une éducation à la citoyenneté capable d'éveiller chez les enfants les futures vertus politiques de modération ou de respect de l'autre – avec une conscience claire et vigilante du point où, si le peuple ainsi éduqué doit être un peuple libre, les exigences d'un Etat libéral doivent s'arrêter :

« En dehors des exigences que je viens de décrire, poursuit Rawls, la théorie de la justice comme équité ne cherche pas à cultiver les vertus et les valeurs propres au libéralisme, à savoir l'autonomie et l'individualité, pas plus d'ailleurs que celles d'autres doctrines compréhensives. »

En clair : une fois ménagées les conditions de cette éducation minimale aux conditions formelles d'un libre exercice de la citoyenneté, l'Etat libéral doit demeurer parfaitement neutre en matière de conceptions du bien. Respectant la pluralité indépassable des systèmes de valeurs, il n'a pas à faire en sorte que seule puisse être défendue et protégée publiquement la conception de l'existence individuelle et collective correspondant aux valeurs qui sont les siennes. La conclusion s'ensuit alors directement : un tel Etat peut parfaitement tolérer en son sein l'existence de sectes (ou de groupes culturels) défendant des valeurs opposées aux siennes et contraires aux idéaux de la modernité – à cette seule réserve que les dispositions évoquées concernant l'éducation des enfants de ces sectes ou de ces groupes soient mises en œuvre.

Position que nous jugerons certes, selon notre type de conscience politique, soit héroïque, soit naïve, mais qui permet du moins de répondre à deux objections symétriques susceptibles d'être adressées, sur cette question sensible, à l'option libérale.

LIMITES DU LIBÉRALISME POLITIQUE ?

La première objection est formulée par Rawls lui-même :

« On objectera alors, écrit-il, qu'exiger que les jeunes comprennent ainsi la conception politique revient en fait, même si ce n'est pas intentionnel, à leur inculquer une doctrine libérale compréhensive. »

Dans un français moins anglicisé : ces dispositions équivaudraient à inculquer aux élèves des écoles une compréhension ou une conception globale du monde et de l'existence, des valeurs et des biens, qui posséderait, jusque dans l'indication de ces valeurs et de ces biens, une détermination spécifiquement libérale. Auquel cas, de toute évidence, le pari de la neutralité de l'Etat libéral-moderne à l'égard des conceptions du bien serait perdu.

La réponse apportée par Rawls à une telle objection ne manque pas d'être intéressante, y compris au plan pratique : elle établit en effet une limite claire au-delà de laquelle l'éducation à une morale civique, en dérivant vers une éducation morale pure et simple, deviendrait incompatible avec ce que le libéralisme identifie comme le mode d'existence d'un peuple libre. Cette limitation consiste à souligner que l'enseignement des vertus civiques ne doit en fait inculquer rien d'autre que les simples conditions du libéralisme politique, et non point du tout les éléments du libéralisme comme conception globale de l'existence individuelle et collective, avec ses valeurs caractéristiques. Ce pourquoi Rawls, dans les lignes que je viens de citer, précise qu'il ne s'agit pas par exemple de faire apprendre les valeurs de l'autonomie et de l'individualité, parce ce serait là les éléments d'une conception particulière du bien, que les membres de certaines communautés ou les adeptes de certaines religions pourraient parfaitement refuser pour obéir aux commandements de leur religion. Bref, pour laisser aux individus et aux groupes d'individus le soin de choisir librement leur système de valeurs (faute de quoi le peuple qui rassemble ces individus et ces groupes ne pourrait être dit libre), il ne faut cultiver publiquement que les vertus d'un libéralisme purement politique, tel qu'il se définit avant tout par la reconnaissance et l'acceptation du « pluralisme » : le libéralisme politique considère donc qu'il existe une diversité irréductible de doctrines morales, philosophiques ou religieuses, il n'entend nullement éradiquer cette diversité, mais, pour éviter que cette diversité des systèmes de valeurs n'engendre une « guerre des dieux » ouverte, il essaye de poser des principes de justice communs à des citoyens qui « demeurent profondément divisés entre eux par des doctrines raisonnables, qu'elles soient morales, philosophiques ou religieuses ».

Cette formule, qui tient que les citoyens d'une société libérale « demeurent profondément divisés entre eux par des doctrines raisonnables », peut étonner, tant ce qui nous divise n'apparaît pas toujours de l'ordre du « raisonnable ». Ce qu'un libéral entend indiquer par là est cependant dans la logique même de ses convictions en faveur du pluralisme des conceptions de l'existence : être politiquement libéral équivaut à considérer qu'il existe une pluralité de doctrines susceptibles d'être argumentées et entre lesquelles la raison ne peut pas prétendre arbitrer définitivement. Considération qui ne concerne pas forcément toutes les conceptions morales envisageables, mais du moins celles qui peuvent être raisonnablement argumentées : entre de telles conceptions (dont c'est un postulat essentiel du libéralisme que de considérer qu'il s'en trouve nécessairement plusieurs dans une communauté de citoyens), s'il doit y avoir consensus (et il faut bien qu'il y ait consensus pour qu'il y ait coexistence pacifique), ce sera alors sous la forme d'un simple consensus par recoupement, intégrant donc la reconnaissance de la pluralité ou de la diversité. Ce pourquoi l'éducation doit si fortement inclure en elle l'apprentissage de la vertu de tolérance, en sachant toutefois s'arrêter au-delà de cet apprentissage et de ce qu'il suppose. Où l'on aperçoit donc quelles limites claires sont ainsi susceptibles d'être tracées à la définition de l'enseignement des vertus politiques : en ce sens l'objection qui consisterait à dénoncer ici une rupture de neutralité, de la part de l'Etat libéral, ne serait sans doute pas la plus pertinente.

Une autre objection possible, que Rawls ne formule pas lui-même et qui nous rapproche du point à partir duquel surgit le réflexe républicain, serait celle d'inefficacité : objection symétrique de la précédente, et qui consisterait à estimer le processus d'inculcation des vertus trop limité pour cimenter véritablement les différences. D'un point de vue encore rawlsien (je complète ici la logique de l'argumentation afin de voir se former, par opposition, la tentation d'une autre conception, plus radicalement républicaine), on pourrait répondre, à tort ou à raison, qu'exiger davantage, quant aux vertus requises pour fonder le consensus, ce serait risquer de basculer du libéralisme dans une forme de communauta-risme. L'objection envisagée consiste en effet à concevoir qu'il ne peut y avoir consensus, dans une société, qu'à partir d'un héritage partagé en matière de conception du bien, donc par exclu-sion du pluralisme : conviction qui déplace la représentation de la collectivité (ou du peuple) de ce qu'est proprement une société (un groupement d'individus se pensant comme libres les uns à l'égard des autres et à l'égard du tout) vers celle d'une communauté où le tout prime sur les par-ties. A l'objection d'inefficacité, le libéral répon-dra donc en faisant observer que le souci d'une efficacité pleine et entière participe d'une conception de l'Etat évacuant de son fonctionne-ment toute dimension de fragilité – alors que cette fragilité est consubstantielle au principe même de l'Etat démocratique, puisqu'il suppose la libre adhésion de ses membres aux principes de fonctionnement. De cette libre adhésion résulte, comme conséquence inévitable et comme condition d'existence d'un peuple vraiment libre, la fragilité, la non-certitude que le dispositif démocratique va effectivement fonctionner, comme ce serait le cas s'il s'agissait d'un automate : l'automatisme est en vérité le propre d'une machine, dont les pièces ne sont justement pas des êtres libres. Fichte, en 1796-1797, dans son *Fondement du droit naturel*, est sans doute le philosophe politique qui est allé le plus loin dans la recherche d'une telle garantie d'efficacité : ainsi lui est-il même arrivé d'écrire que le problème de la réalisation du droit consiste à trouver un « mécanisme » qui impose aux individus « cohésion et action réciproque », en sorte que, de toute action contraire au droit, résulte nécessairement le contraire de ce que celui qui a commis cette action a voulu, par conséquent la confirmation du règne du droit et non pas sa négation. Le moins que l'on puisse penser aujourd'hui du dispositif envisagé par Fichte, qui se réclame à cette fin de la position républicaine incarnée alors par la France révolutionnaire, est d'estimer qu'il n'est pas le plus aisément compatible avec la conception libérale de la liberté politique. Même si nous ne sommes pas obligés d'avaliser toutes les critiques de Hegel dénonçant chez Fichte la genèse d'un Etat policier, l'efficacité recherchée dans la réalisation du droit se solde ainsi par une autre et plus redoutable fragilisation : celle de la liberté du peuple et de ses membres par rapport à l'Etat. Tant et si bien que l'objection d'inefficacité peut se démonter, sinon facilement, du moins avec quelque pertinence.

En tout état de cause, sauf à basculer du côté de modèles politiques dont le moins que l'on puisse dire est qu'ils ne sont pas sans risques, il ne paraît pas inenvisageable d'accorder à Rawls ce qu'il cherchait à établir dans sa présentation du débat entre les conceptions de la démocratie : inclure parmi les conditions de fonctionnement du meilleur régime l'existence, chez les citoyens, de vertus politiques minimales, ainsi que celle d'un dispositif d'éducation à ces vertus, peut constituer un point de passage entre le libéralisme politique et le républicanisme classique. Jusqu'ici, le conflit dont nous cherchons le point d'embrasement entre les deux versions de l'idée démocratique semble donc plutôt se dérober à nos yeux. Pour voir surgir un tel point d'embrasement, il faut donc aller plus loin encore dans l'analyse et considérer la deuxième conviction retenue par Rawls comme constitutive du républicanisme classique, en prêtant attention à la façon dont elle peut enclencher, elle, à travers une conception sensiblement différente des exigences du civisme, un divorce entre deux conceptions de la démocratie.

Outre la possession des vertus politiques, Rawls mentionne, nous l'avons entrevu plus haut, comme deuxième condition retenue par le républicanisme classique pour que la cité mérite d'être désignée comme vraiment démocratique, le fait que « les citoyens soient prêts à prendre part à la vie publique ». Ce qu'il explicite avec assez de clarté pour qu'il nous suffise ici de le lire :

« Sans la participation à la vie politique démocratique d'un corps politique actif de citoyens informés, et si un repli général sur la vie privée se produit, même les institutions politiques les mieux conçues tomberont aux mains de ceux qui cherchent à dominer et à imposer leur volonté à travers l'appareil d'Etat. »

Ainsi le salut même des libertés démocratiques exigerait-il la participation active de citoyens au fonctionnement du régime garanti par la constitution. Par là s'éclaire l'allusion à Tocqueville pour illustrer le républicanisme classique : allusion déconcertante pour nous, parce que, dans notre propre tradition intellectuelle, nous lisons Tocqueville, sans doute à tort (j'y reviendrai dans la suite de ce livre), comme un libéral plutôt que comme un républicain. En fait, Rawls songe ici aux analyses de Tocqueville sur les périls inhérents à une culture démocratique fondée sur la valorisation de la liberté individuelle : à force de valoriser la liberté individuelle, donc l'indépendance de l'individu, les risques sont grands, soulignait déjà Tocqueville, de voir se produire un repli de chacun sur la sphère privée et sur les bonheurs individuels, avec comme corrélat la désertion de l'espace public. Pourrait ainsi se mettre en place, à la faveur de cette désertion, un Etat tutélaire développant une nouvelle forme de despotisme, échangeant en douceur l'abstention des citoyens vis-à-vis de tout contrôle public du pouvoir contre l'octroi aux individus de petits bonheurs privés. De cette analyse célèbre, Rawls tire la conclusion que, dans l'esprit de Tocqueville (qu'il considère pour cette raison comme illustratif du républicanisme), un régime se voulant authentiquement démocratique et respectueux des libertés fondamentales se devrait (afin d'éviter la genèse de ce nouveau despotisme) de contrecarrer cette propension au repli sur la sphère privée, donc de favoriser la participation des citoyens à la vie publique.

Je ne débattrai pas ici de la question de savoir si cette conclusion privilégie ou non, dans la lecture de Tocqueville, l'esprit sur la lettre. Pour le moins est-il clair qu'à travers ce souci de la participation aux affaires publiques et de l'exercice effectif de la citoyenneté, nous touchons bien à l'une des composantes du patrimoine républicain. Plus précisément encore, c'est à partir de ce genre de considération sur la participation civique et les moyens de la garantir que nous pouvons commencer à apercevoir en quoi, avec le modèle libéral et le modèle républicain (ou républicaniste), nous avons bien affaire à deux conceptions sensiblement différentes de la démocratie, dont chacune a ses effets pervers et ses possibilités de dérives. C'est par le repérage de ses logiques et de ses dérives, telles qu'elles se développent autour de la question de la citoyenneté, que je voudrais achever de construire les termes du débat auquel ce livre est consacré.

Du côté du républicanisme, on peut en effet se demander si, lorsqu'il fait de cette participation effective des citoyens la condition primordiale de possibilité d'un univers démocratique, le risque d'une dérive antilibérale ne lui devient alors pour ainsi dire consubstantiel. Je n'entends pas seulement, en l'occurrence, par dérive antilibérale, le surgissement d'un écart avec le modèle libéral lui-même (c'est-à-dire avec le modèle d'une limitation de l'Etat par préservation de l'autonomie de la société et des individus qui la composent). Je vise surtout par là une relation de tension forte avec ce principe même du respect des libertés fondamentales de chacun qui constitue le socle ou le soubassement non négociable des sociétés et des cultures qui ont fait le choix de considérer l'individu (et ses libertés) comme principe et comme valeur. A partir du moment, en effet, où il est admis (par le républicanisme) que l'engagement des citoyens est nécessaire à la préservation de leur liberté, tout le problème est de savoir comment faire agir les individus de telle manière qu'ils s'engagent à soutenir les institutions démocratiques, notamment par leur participation à celles-ci. Ou encore : comment parvenir à éviter que les individus, selon le risque envisagé par Tocqueville, ne se replient en gardiens jaloux de leurs droits vers la sphère du monde privé ? Certes, dans le cadre de la société libérale, l'individualisme tend à dégénérer en égoïsme, et les citoyens risquent d'en venir à ne plus attacher d'importance à l'exercice d'une liberté-participation dont ils voient de moins en moins ce par quoi elle peut véritablement bénéficier à chacun d'entre eux. D'où la question que pose volontiers le républicanisme, et qui s'enracine (on le verra à travers la première partie de ce livre) dans sa plus lointaine tradition : celle de savoir comment rendre les citoyens « vertueux ». Question où le terme de « vertu » est à entendre cette fois de façon moins minimale, au sens où, pour accepter de participer à la vie de la cité, pour choisir de s'y investir, il faudrait en quelque sorte que les individus aillent au-delà d'eux-mêmes et qu'ils transcendent leurs égoïsmes particuliers : acception plus exigeante de la vertu, on en conviendra, que celle qu'on évoquait en mentionnant les vertus politiques cultivées par le libéralisme.

Qu'est-ce qu'un peuple libre ?

Une fois la question ainsi posée de savoir comment rendre, en ce sens plus exigeant de la vertu, les citoyens vertueux, il apparaît alors que les réponses susceptibles de lui être apportées ouvrent, quant à la représentation des conditions d'existence d'un peuple libre, sur des perspectives plus ou moins radicales. Divers infléchissements du républicanisme vont en effet pouvoir se faire jour, selon un spectre susceptible d'aller d'une dictature de la vertu de type jacobin à une pratique certes moins rude du contrôle social, mais accordant néanmoins une place non négligeable à la force de la loi. En sorte qu'il est bien permis de se demander si la démocratie républicaine, en accentuant, dans la genèse d'un peuple libre, la fonction coercitive et éducative de la loi, ne risque pas, paradoxalement, d'entrer en contradiction avec cette autre condition de la liberté politique qu'est la reconnaissance de l'autonomie de l'individu et de la société par rapport à l'Etat.

Pour autant, de l'autre côté, je veux dire : du côté d'une conception purement libérale de la citoyenneté, comment éviter certaines dérives symétriques, qui sont loin aujourd'hui de se réduire au simple risque d'atomisation du social qu'avait anticipé Tocqueville ? L'anticipation tocquevillienne, pour géniale qu'elle fût, n'était en effet que celle d'un processus finalement pacifique, se résumant à un désinvestissement regrettable, mais non explosif, de l'espace public. Il se trouve aujourd'hui des effets pervers plus conflictuels d'une réduction libérale de la liberté du citoyen à l'exercice de droits individuels correspondant à une sphère d'autonomie où il serait interdit à quiconque d'interdire à un individu l'exercice de ses capacités d'initiative. C'est par l'évocation de ces risques, largement maximisés depuis l'avertissement tocquevillien, que je voudrais faire apparaître, au terme de cette entrée en matière, que le débat entre démocratie libérale et démocratie républicaine ne se réduit ni à un affrontement polémique de simples sensibilités, ni à une querelle d'écoles, destinée à ne mettre aux prises que quelques savants soucieux de défendre la tradition de pensée où ils se reconnaissent.

*

Dans une province de l'Est canadien s'est produite il y a environ deux ans une de ces situations qui suscitent à répétition, dans la presse d'Amérique du Nord, ces vastes débats, mi-éthiques, mi-juridiques, qui fournissent à la une des journaux un tout autre contenu que celui de la vie des stars ou des exploits accomplis par les sportifs. De tels débats font, je l'avoue, mon bonheur de philosophe politique chaque fois que j'ai l'occasion de les découvrir, tant les questions que nous concevons, professionnellement, de façon fort

55

abstraite s'y formulent, dans la vie publique, avec une vigueur concrète et un retentissement social qui suscitent chez moi un étonnement mêlé de quelque envie. En l'occurrence, un couple de lesbiennes ayant adopté un enfant (selon un état de la législation qui exprime déjà une forte organisation du social à partir des libres choix individuels) a demandé, dans la mesure où les deux mères adoptives se trouvaient en outre sourdes et muettes, à faire opérer l'enfant, de manière à le rendre sourd et muet lui aussi, afin qu'elles puissent exercer le droit de lui faire partager leur culture (de sourdes et muettes). L'affaire apparaît effarante, mais il faut savoir, pour aller jusqu'au bout de l'effarement, qu'elle a abouti à la Cour suprême du Canada, pour n'obtenir ainsi qu'en dernier recours une issue prenant la forme d'un refus. Bref, et c'est là ce qui m'importe en l'occurrence, la démarche n'était pas apparue d'emblée totalement insensée dans un univers qui fonctionne entièrement sur la base du respect des libertés individuelles et des droits garantissant de telles libertés : au demeurant, la demande pouvait, dans ce contexte et dans cette logique, se réclamer, non seulement du droit des représentants d'une culture à transmettre cette culture à leurs descendants, mais aussi du droit des handicapés à ne pas subir, sous ce rapport, de mesures ou de conduites discriminatoires dues à leur handicap. Ainsi toute une panoplie de droits permettait-elle d'argumenter longuement dans le sens de la demande : ce qui précisément doit à mon sens alerter sur certains fonctionnements (ou dysfonctionnements) possibles de l'univers démocratico-libéral.

Pas plus qu'une hirondelle ne fait le printemps, la mention d'un exemple, même symptomatique, ne vaut pas argument. Du moins perçoit-on ici intuitivement, sous une forme extrême et significative, comment la structuration intégrale d'une société autour de la valorisation sans partage de l'exercice des libertés individuelles garanties par des droits aboutit pour le moins à des difficultés stupéfiantes. Au cœur de ces difficultés se trouve de toute évidence ici celle qui touche à la possibilité même d'une coexistence au sein d'un peuple où le souci de l'autre ne le cède pas au souci de soi.

Le modèle libéral a assurément, dans son arsenal politique, de quoi régler ce type de problème. Au reste, en l'occurrence il l'a bel et bien réglé, conformément aux exigences du bon sens en même temps que du respect des principes libéraux eux-mêmes, à commencer par celui qui fait de l'intégrité de la personne concernée, en l'espèce l'enfant, une valeur sacrée. D'autres principes encore auraient pu, dans l'héritage libéral, être mobilisés pour régler cette situation, par exemple celui de la liberté de l'enfant à choisir sa culture, en même temps qu'à ne pas voir porter atteinte à ses libertés d'expression et de communication, à travers les facultés qui les rendent possibles. Le problème n'est donc pas que le dispositif libéral se trouverait le moins du monde déstabilisé par ce genre de situation. En revanche, ce qu'on ne peut qu'accorder, c'est que, même non déstabilisé, ce dispositif s'en trouve éclairé sous certains de ses aspects les moins enthousiasmants et les moins convaincants : ceux qui font que, dans une société fondée sur le seul principe du respect exclusif des libertés individuelles garanties par des droits, l'individualisme, pour s'être substitué à l'humanisme, pour avoir substitué l'affirmation des droits de l'individu à celle des droits de l'homme, dérive graduellement en égoïsme pur et simple. La prophétie de Tocqueville se trouve ainsi réalisée sous une forme particulièrement cynique : dira-t-on, dans ces conditions, qu'un peuple traversé par une telle dérive est un peuple libre ? Du même coup, la discussion du libéralisme politique à laquelle se consacre aujourd'hui le républicanisme en acquiert un intérêt renouvelé, plus vif qu'on ne s'y attendrait sans doute à partir d'une simple analyse interne du modèle républicain lui-même.

C'est à confronter les principes et les dérives de ces deux versions de l'idée démocratique que ce livre va s'employer. Pour y examiner avec probité les débats qui interviennent entre ces deux façons de répondre à la question de savoir ce qui fait qu'un peuple peut légitimement se croire libre, il m'est apparu indispensable de prendre d'abord quelque recul par rapport aux affrontements les plus immédiats, et de re-construire l'archéologie de la position répu-blicaine. C'est dans un second temps qu'il conviendra, une fois mesurée la profonde diver-sité des républicanismes, de nous demander à quels débats avec l'héritage libéral, conduit aujourd'hui, dans un contexte profondément transformé, la référence républicaine. Plutôt que d'opposer sans fin les deux modèles, libéral et républicain, à travers lesquels a explosé l'idée démocratique, il conviendra alors que nous nous demandions, à la lumière de ce que nous appren-drons de ces débats, comment, dans les princi-paux secteurs où la crise de la société libérale manifeste le plus puissamment ses effets, ne pas sacrifier la part de vérité qu'ils contiennent tous les deux et dont il me semble absurde que chacun tende aujourd'hui à l'ignorer chez l'autre. Sur des questions aussi difficiles que celles qui, par exemple, se posent désormais dans le secteur de l'école et, plus généralement (pour englober la famille), de l'éducation, je ne crois pas, pour ma part, aux mouvements de manche. Les incanta-tions célébrant les vertus supposées « républi-caines » du travail, envisagées comme syn-thétiques de l'anarchisme du jeu et de l'absolutisme du dressage, peuvent être bien agencées rhétoriquement : elles ne changeront rien par elles-mêmes aux dérives extrêmes que nous venons d'entrevoir. En revanche, défendre la perspective d'une certaine correction de trajectoire imprimée aux sociétés libérales (et ce, par elles-mêmes) pour rendre possible une meilleure maîtrise de telles dérives n'est en rien un expédient rhétorique : prendre en compte la discussion républicaine du libéralisme peut ici aider à définir avec rigueur la teneur de cette auto-correction, et à faire en sorte qu'un peuple démocratique ne se borne pas à se croire libre, mais le soit bel et bien.

PREMIÈRE PARTIE

Archéologie du républicanisme

Pour mieux comprendre ce qui, entre libéraux et républicains, se présente aujourd'hui, dans nos démocraties, comme l'une des zones de fracture les plus exposées, il m'est apparu indispensable de prendre suffisamment de recul par rapport aux affrontements les plus partisans. Tant que l'on se complaît à écrire que la forme libérale de gouvernement « tourne à la jungle sans foi ni loi » (Régis Debray, 1989) ou à laisser entendre que « le républicanisme est un totalitarisme » (Dominique Soto, président de SOS Racisme, 2003), la dimension rationnelle du débat, qui seule lui donne intérêt et importance, échappe à toute saisie. Prendre du recul, c'était en l'occurrence consacrer la première partie de ce livre à une archéologie de la position républicaine.

L'archéologie du libéralisme est, pour sa part, en général bien connue. On ignore rarement que, si le libéralisme politique n'a reçu son nom qu'au début du XIXe siècle, la position libérale s'est construite dans le contexte de l'Angleterre du XVIIe siècle, en se posant comme l'antithèse de

63

l'absolutisme, avec pour premiers théoriciens Milton et Locke. De ce fait, on n'ignore pas non plus qu'elle a consisté à défendre le principe d'une limitation du pouvoir de l'Etat par la prise en compte des droits et libertés reconnus aux personnes. La trajectoire qui, de ce contexte originel, conduisit vers les premières déclarations des droits de l'homme, celles de 1776 en Amérique, celle de 1789 en France, n'est pas davantage mystérieuse, et le lecteur français ne manque certes pas d'y ménager une place de choix, en particulier, à une pensée comme celle de Montesquieu. Dans l'appréhension du libéralisme, le flou qui s'est pourtant introduit et conduit aujourd'hui à des identifications étonnamment confuses ne procède donc pas, pour l'essentiel, de méprises sur la provenance même des principes libéraux.

En revanche, pour ce qui touche à l'archéologie des valeurs républicaines, l'imagination est autrement riante. La légende qui veut que la République ait brusquement surgi, avec armes et casque, de la conscience collective du peuple français reste, pour ce peuple même ou du moins pour ceux qui font profession de se réclamer de son génie propre, étonnamment vivante. La République serait bel et bien « notre » République : elle constituerait depuis toujours et définitivement ce par quoi notre pays, dans le monde, ferait exception [1]. « Vive la République ! Vive la France » : singulière formule de nos hommes d'Etat ! Imagine-t-on ailleurs un discours se clore par un : « Vive la Démocratie (libérale, qui plus est), vive... » – que dire d'ailleurs ?, pas même n'envisagerait-on d'entendre proclamer depuis Downing Street : « Vive la Démocratie libérale ! Vive la Grande-Bretagne ! » Que s'est-il donc passé dans l'imaginaire français pour conduire à une telle appropriation nationale de ce qui, après tout, constitue fondamentalement l'une des réponses possibles à la vieille et universelle interrogation sur ce qu'il peut en être du meilleur régime politique ? Convaincu que cette légende pétrifie la réflexion et fausse en France le débat que cette interrogation continue d'appeler, je convie donc mon lecteur à mettre provisoirement de côté son imagination et à faire davantage confiance à sa mémoire.

Une fois refermé le livre d'images, je n'entends pas pour autant le convier à ouvrir un

---

1. Hormis quelques historiens, au premier rang desquels Claude Nicolet (célèbre pour son *Idée républicaine en France (1789-1924), essai d'histoire critique*, Paris, Gallimard, 1982, mais auteur également d'une étude savante sur *Le métier de citoyen dans la Rome républicaine*, Paris, Gallimard, 1976), il n'est guère que Blandine Kriegel, dans le débat hexagonal sur la République, pour avoir rappelé que « la République ne se confond pas tout à fait avec la Révolution ni seulement avec l'histoire de France » (*Philosophie de la République*, Paris, Plon, 1998, p. 25). « Pas tout à fait » : c'est toutefois là, je vais m'employer à le montrer, bien trop peu dire encore !

volumineux livre d'histoire. Plus qu'à une reconstruction historique, je souhaite l'aider à procéder seulement à quelques coups de sonde, faisant resurgir du passé où notre mémoire politique les a plus ou moins engloutis deux moments, choisis de façon délibérément non exhaustive, où l'Idée de République révèle quelque chose de ce qu'elle a d'irréductible : deux moments où se laisse apercevoir quel sens il peut y avoir à se réclamer d'elle pour étayer l'une des représentations que l'on peut se forger de ce que c'est qu'un peuple libre. Du fait de cette démarche délibérément sélective, je n'évoquerai, dans cette séquence archéologique, ni Rousseau, ni la philosophie des républicains français de la fin du XIXe siècle. Parce qu'il ne s'agissait pas ici de proposer une histoire de l'idée républicaine, j'ai considéré que, pour voir se construire un concept du républicanisme, deux autres moments pouvaient, chacun à sa manière, nous apprendre davantage sur les soubassements de notre référence politique majeure.

A des titres divers seront donc ici convoqués dans un premier temps, pour nous aider à cerner la teneur de cette référence, Aristote, qui le premier inventa sans jamais l'avoir su (et pour cause, on va le voir) l'exigence « républicaine » ; puis ceux qui, à Rome (Cicéron, Polybe) ou dans l'Italie de la Renaissance (Machiavel), eurent l'intuition, en dialogue plus ou moins direct avec l'héritage aristotélicien, que la république était un mode mixte de gouvernement, nous aidant ainsi à mesurer la plasticité d'une référence vouée à faire signe vers une combinaison (instable ?) de possibles.

C'est une tout autre étape de la trajectoire républicaine qui se trouvera mobilisée ensuite, dans un second temps, sous la forme de cette extraordinaire leçon de politique que donna à son époque et continue de donner à toute notre modernité *Le Fédéraliste* : les principaux acteurs de la Révolution américaine, les Pères fondateurs de la plus puissante démocratie du monde, y ont entrepris, en 1787, d'argumenter en faveur du modèle politique qu'ils entendaient mettre en œuvre aux Etats-Unis. Sans le savoir non plus entièrement, ils mobilisèrent ainsi la plupart des raisons qui, du côté libéral ou du côté républicain, entrent en jeu quand nous débattons de la configuration que nous entendons donner à nos démocraties pour faire que le peuple souverain soit aussi, pleinement, un peuple libre.

Deux coups de sonde, deux moments, deux espaces de réflexion en tout cas où ce qui se retrouve aujourd'hui de façon beaucoup plus crispée à travers les tensions internes à notre conscience démocratique s'exprimait encore, non sous forme de dogmes, mais sous celle de possibles offerts à l'intelligence et à la volonté. Parce que la République est beaucoup plus qu'une invention française ou qu'une exception française, il m'a semblé indispensable de montrer comment son emblème peut servir surtout à rassembler, non sans énigmaticité, non sans hésitation, certains des plus profonds possibles de la réflexion politique lorsqu'elle s'essaye à répondre à sa question la plus traditionnelle, celle de savoir ce qu'il peut et doit en être du meilleur régime.

De cette fécondité-là, les deux moments « républicains » auxquels j'ai choisi de consacrer les premiers chapitres de ce livre sont sans doute ceux qui, pour des raisons fort différentes et chacun selon son registre propre, témoignent le mieux.

CHAPITRE I

Inventer la République

« De grands dieux, écrit quelque part Nietzsche, naquirent parfois d'un calembour. » Un grand concept comme celui de la République n'est pas né d'un calembour, mais bien, à la faveur d'une traduction d'Aristote, d'un imbroglio verbal. Dans cet imbroglio s'est enraciné pour toujours ce que le terme même de « république » a de tellement plus difficile à cerner et à conceptualiser que n'importe lequel de ceux qui désignent les autres régimes politiques.

On peut certes, comme le fait Habermas, tenter d'y parvenir en soulignant que par opposition au libéralisme, qui « a invoqué le danger que représentent les majorités tyranniques pour postuler, vis-à-vis de la souveraineté populaire, un primat des droits de l'homme », « le républicanisme, qui remonte à Aristote, a toujours accordé une priorité à la " liberté des Anciens ", liberté relative à la participation politique, par rapport aux " libertés des Modernes ", qui sont apolitiques [1] ». Une telle caractérisation, sans être fausse, présente néanmoins le grave défaut de se placer déjà dans l'espace de l'affrontement entre libéralisme et républicanisme pour faire surgir le sens de ce dernier. En vérité pourtant, ne serait-ce précisément que dans son ascendance aristotélicienne, la république est née hors de cet espace, à partir d'une tout autre logique de réflexion dont je souhaiterais faire apparaître qu'elle éclaire sans doute mieux, en projetant sa lumière de plus loin, les tracés de ce que nous appelons « république ».

De fait, chez Aristote, la figure de la liberté à laquelle le terme de république s'est trouvé, de façon rocambolesque, originellement associé ne correspondait pas encore à ce que certains d'entre nous identifient à la figure moderne de la liberté politique. Ce pourquoi, nous imposant de mettre provisoirement entre parenthèses nos débats modernes, le déplacement de perspective que nous force à accomplir la reconstitution de ce moment aristotélicien contient en lui-même le principe d'une interrogation : comment, thématisée pour la première fois chez Aristote, c'est-à-dire dans une philosophie politique qui était pas encore convaincue de la supériorité de la

---

1. J. Habermas, *Droit et démocratie. Entre faits et normes*, Paris, Gallimard, p. 485.

démocratie, la réponse « républicaine » à la question du meilleur régime politique a-t-elle pu réintervenir dans la modernité elle-même et, une fois inventée la version moderne de la démocratie, venir hanter et travailler celle-ci comme de l'intérieur ? Mystère qui devra être percé, mais dont l'existence même suggère déjà qu'entre la république et la modernité la relation n'est assurément pas aussi simple que le laissent croire ceux qui veulent y voir, selon le mot de Condorcet d'avant juillet 1789, « le régime où les droits de l'homme sont garantis ». Pas de droits de l'homme chez Aristote, et pour cause, pas de régime se proposant de les garantir. Or c'est pourtant ici que l'essentiel de ce qui s'est joué et continue de se jouer dans l'affirmation républicaine a trouvé son point de départ : prenons le temps d'y regarder d'un peu près, nous ne serons pas déçus.

LA QUESTION DE LA CONSTITUTION

Sans entrer trop dans les détails, on peut cependant rendre le dossier un peu moins opaque. Aristote, dans la *Politique*, s'était donné pour projet, à travers l'analyse des divers types de constitutions réellement existantes, de faire surgir les principaux traits de ce qu'il appelle « la constitution la meilleure » ou encore la « constitution » tout court. « Constitution » se dit en grec *politeia*.

Qu'est-ce qu'un peuple libre ?

C'est ce terme que certains traducteurs latins de la *Politique* ont choisi de rendre par *respublica*. Choix qui s'explique lui-même par la façon dont le dialogue que Platon avait écrit sur la cité en l'intitulant déjà *politeia* s'était trouvé traduit en latin par *respublica* : fidélité à un usage, donc, mais fidélité à la fois paradoxale et étrange. Fidélité paradoxale, puisque, dans son propre ouvrage (dont le titre, *ta politika*, a été transcrit tantôt par *La Politique*, tantôt, pour rendre le pluriel, par *Les Politiques*), Aristote consacrait une part importante de ses efforts à se démarquer de la conception platonicienne de la cité. Fidélité en outre étrange, parce que dépourvue de tout caractère systématique : l'usage qui s'était établi de transcrire *politeia* par *respublica* a en effet été transposé par les traducteurs latins d'Aristote à certains seulement des emplois aristotéliciens du terme *politeia* ! Si l'on souhaite comprendre ce que, à partir d'Aristote, le terme de « république » a ainsi servi à désigner de spécifique en matière de réflexion sur les régimes politiques, force est donc, avant toute autre considération, de procéder en deux temps : 1) se rendre attentif à ce qu'il en était de la façon aristotélicienne de poser la question de la « constitution » (*politeia*), et 2) repérer à quels usages spécifiques du terme de « constitution » le même mot de *politeia* a été en définitive, dans sa transcription par *respublica*, puis par « république », plus spécialement réservé par les traducteurs du livre d'Aristote !

72

Se posant la question du meilleur régime, donc de la « constitution excellente » qui le définirait, Aristote explique que la communauté politique, qu'il appelle cité (*polis*), a pour but de permettre à ses membres, non seulement de vivre, mais de « bien vivre » ou de « mener une vie heureuse ». La meilleure organisation institutionnelle d'une cité (la meilleure constitution) sera donc celle qui réalise le mieux cet objectif commun ou cet intérêt commun à tous les hommes qu'est le bonheur ainsi conçu comme accomplissement le plus abouti, pour chacun, de sa propre nature.

Pour cerner les conditions politiques de cet épanouissement physique et intellectuel de chacun, Aristote précise alors qu'il faut distinguer le pouvoir du despote (ou du maître, par exemple le propriétaire d'esclaves) et le pouvoir proprement politique – lequel « s'applique à des hommes libres et égaux » (I, 7, 1255 b) : la question politique de la constitution devient donc celle de savoir comment réaliser le bonheur d'êtres libres et égaux. Or, dans les faits, il existe deux types de sociétés parmi lesquelles certaines s'excluent elles-mêmes de l'interrogation politique strictement entendue.

Un premier type de sociétés correspond en effet à celles qui ne parviennent pas à remplir cet objectif, parce qu'elles sont en fait despotiques, et non pas proprement « politiques ». En clair : elles visent, non la réalisation de l'intérêt commun (le bonheur), mais celle d'un intérêt particulier ou privé – non pas le bien commun ou l'intérêt général, mais un bien privé ou sectoriel.

Il existe en revanche, ou du moins il doit pouvoir exister, des sociétés proprement politiques, dont la constitution (la *politeia*) vise l'avantage commun et qui sont donc des formes droites de constitution (conformes au concept même de communauté politique), alors que les sociétés du premier type ne possèdent que des formes défectueuses ou déviantes de constitution (puisqu'elles confondent le pouvoir politique et le pouvoir du maître) (III, 6). Au sens littéral du terme, toutes les constitutions droites sont donc « républicaines », si par « républicain » on entend d'abord et fondamentalement un espace de coexistence régi par une organisation proprement politique, c'est-à-dire par une *politeia* (par une constitution) ne confondant pas le pouvoir de la cité et le pouvoir du maître, mais visant authentiquement le bien commun. Où l'on voit donc intervenir une première acception, très large, de ce qui est « républicain », à la faveur de laquelle « républicain » est synonyme de « politique » entendu au sens propre : républicain est ici tout pouvoir qui n'est pas despotique, mais se conçoit lui-même comme s'exerçant sur des hommes libres, c'est-à-dire, si l'on convient qu'un peuple libre est un peuple fait d'hommes libres, comme s'exerçant sur un peuple libre. Acception très large en vertu

74

de laquelle le « républicain » occuperait tout l'espace proprement politique. Auquel cas il n'y aurait bien évidemment pas la moindre raison de débattre de l'identité républicaine : nous sommes tous républicains dès lors que nous nous reconnaissons comme les citoyens d'un peuple libre.

Reste que, de fait, nous débattons encore, plus de vingt-trois siècles après Aristote, de cette identité républicaine et que tous ceux qui aspirent à faire partie d'un peuple libre ne conçoivent pas nécessairement un pouvoir non despotique sous la forme d'une « république ». Il doit ainsi y avoir plusieurs façons de cerner les conditions d'existence d'un peuple libre, donc tout aussi bien plusieurs constitutions politiques permettant l'évitement du despotisme : la constitution spécifiquement républicaine doit alors pouvoir apparaître, en un sens plus restreint, comme l'une de ces constitutions qui ménagent, pour un peuple, la possibilité d'échapper au despotisme. Ici commence le second moment de l'interrogation à la faveur de laquelle a émergé chez Aristote la référence « républicaine » entendue dans sa dimension politiquement distinctive : c'est à cet usage distinctif du terme de *politeia* que s'est trouvé finalement réservé, dans la transcription latine, le terme de *respublica*. Ce resserrement dans l'emploi d'un même terme ne trouve par conséquent sa logique que si nous posons, à travers Aristote, non plus seulement la question de la constitution, mais celle dont le livre III des *Politiques* nous explique qu'elle est au fond la question même de la philosophie politique : celle de savoir qui doit exercer la souveraineté.

A QUI EST-IL JUSTE QUE LE POUVOIR REVIENNE ?

Aristote n'est pas seulement un philosophe politique, aussi génial qu'il puisse être. Il est le philosophe qui donne son nom à la philosophie politique, en dégageant l'interrogation qui caractérise cette discipline. Dans ce qui nous est parvenu comme le livre III de son ouvrage, le questionnement portant sur la constitution progresse en effet brusquement : alors que nous nous interrogeons sur ce qui peut, en matière de constitution, être « le meilleur », Aristote nous invite à estimer qu'il ne saurait y avoir de bien (donc, également, de « meilleur »), dans le registre politique, que sous la forme du « juste » : le meilleur régime ne peut être que le régime le plus juste, la meilleure politique ne peut être qu'une politique juste. De la question de la constitution, nous sommes ainsi conduits à la question de la justice : qu'est-ce donc que le juste ?

Le juste, entendu selon sa plus grande généralité, consiste, dans un partage, à faire que des personnes égales reçoivent des parts égales. Quand il s'agit du juste politique, ce qu'il s'agit de partager, c'est par définition le pouvoir qui est à exercer dans la cité. La question de la constitution susceptible d'être la meilleure ne peut donc que conduire à celle de savoir comment, dans la cité d'un peuple libre, procéder à la juste répartition du pouvoir : à qui est-il juste que le pouvoir revienne ? C'est de cette question, qui équivaut à celle de l'égalité et de l'inégalité dans l'accès au pouvoir et dans l'exercice de celui-ci, qu'Aristote nous dit qu'elle est constitutive de ce qu'il est le premier à nommer « philosophie politique » : force est, pour dégager les conditions d'existence d'un peuple libre, de ne pas « laisser dans l'ombre sur quoi porte l'égalité et sur quoi l'inégalité, car il y a là une difficulté et matière à philosophie politique » (III, 12, 1282 b 23). Dit autrement : philosopher sur la cité, c'est se demander « qui sera le pouvoir souverain de la cité » (III, 10, 1281 a), qui va exercer le gouvernement orienté par le souci de l'intérêt commun ou général, c'est-à-dire par le souci de ménager pour chacun la possibilité de son bonheur. Ce pourquoi c'est une façon correcte de rassembler les éléments du questionnement politique élaboré par Aristote que de le faire en ces termes : quel doit être le gouvernement d'un peuple libre, et comment gouverner un tel peuple ?

C'est pour répondre à cette question qu'Aristote dresse, au livre III de son ouvrage, une célèbre typologie des formes de gouvernement qui aura une très large postérité chez les doctrinaires du républicanisme : le sens large du terme de *politeia* (constitution d'un peuple libre) va en effet s'y redoubler d'un sens plus spécifique pour la désignation duquel *politeia* (qu'Aristote, pour sa part, utilise indifféremment en son sens large et en ce sens distinctif) sera traduit par *respublica*, faisant ainsi surgir l'idée d'une façon spécifiquement « républicaine » de gouverner.

Reprenons le raisonnement : le gouvernement d'un peuple libre (disons : le gouvernement qui vise l'intérêt commun ou, pourrait-on dire, le bien public, entendu au sens du bien de tous) peut être exercé par un seul individu, par un petit nombre d'individus ou par un grand nombre d'individus. Dans les trois cas, l'objectif du gouvernement peut être néanmoins l'intérêt commun : il y a donc trois régimes « républicains » au sens large de régimes où la constitution peut être véritablement une constitution, c'est-à-dire être une constitution droite et non pas défectueuse, en créant un mode d'organisation approprié à permettre au peuple d'être libre. Aristote nomme les deux premiers la monarchie et l'aristocratie, tandis qu'il désigne le troisième (où le pouvoir est attribué au grand nombre) simplement par le terme de *politeia* – ce que les traducteurs latins ont alors transcrit par : *respublica*. Ici surgit donc la « république » au sens restreint du gouvernement du plus grand nombre en faveur de l'intérêt commun. Singulier déplacement d'un terme (*politeia*) qui, de générique qu'il était dans le même ouvrage, devient porteur d'une signification spécifique : glissement qui me faisait parler, au début de ce chapitre, d'une sorte d'imbroglio verbal dont notre référence à la « république » est issue et, d'une certaine façon, porte la trace. Essayons de démêler encore un peu mieux cet imbroglio.

Un seul homme (monarque) ou un petit nombre d'hommes qui se trouveraient être aussi les meilleurs (aristocrates) peuvent avoir la vertu d'agir, non dans le sens de leur intérêt particulier, mais dans le sens de l'intérêt général : la monarchie et l'aristocratie peuvent donc être des régimes « républicains » au sens large, correspondant à des constitutions « droites ». Toutefois, dans ces deux premiers cas, rien n'assure vraiment que tel sera le cas. En revanche, le régime le plus porté à être « républicain » au sens large, à ne pas dévier de ce qui fait qu'une constitution est droite (le souci du bien commun) devrait être celui où le pouvoir souverain est échu au plus grand nombre. Plus soucieux de la diversité des situations ou des contextes que de la définition d'un modèle unique susceptible de valoir universellement, Aristote ne s'exprime certes pas de façon aussi catégorique, mais tout, au fil de son analyse, oriente la réflexion dans cette direction, et ce, pour une raison fort compréhensible, qu'il n'explicite pas expressément, mais que l'on peut construire sans peine : à tout groupe d'hommes correspond un intérêt qui lui est particulier et qui peut donc prévaloir sur le bien commun, mais l'intérêt particulier, si je puis dire, du plus grand nombre est par définition le plus proche de l'intérêt de tous, donc de l'intérêt commun ou de l'intérêt général. En ce sens, l'effort de vertu dont le souverain, quel qu'il soit, doit faire preuve ici pour s'arracher à la considération de son intérêt particulier, semble par définition moins considérable que dans le cas d'une monarchie ou d'une aristocratie. Il faut certes, même quand c'est le plus grand nombre qui exerce la souveraineté, qu'un effort de vertu maintienne le cap sur le bien commun, et par là s'explique l'importance de ce thème de la vertu, je vais y revenir, dans la tradition républicaine ultérieure. Néanmoins, le gouvernement du plus grand nombre constitue, par la force des choses humaines, le mode de gouvernement où il est en quelque sorte le plus facile d'être vertueux, parce que l'intérêt du plus grand nombre, même s'il n'est pas l'intérêt général, est celui qui s'en trouve au plus près. En conséquence, peut écrire Aristote, « quand c'est la multitude qui détient le gouvernement en vue de l'avantage commun, la constitution (*politeia*) est appelée du nom commun à toutes les constitutions, c'est une *politeia* » (1279 a). Phrase extraordinaire, littéralement intraduisible, que l'on a néanmoins traduite le plus souvent ainsi :

« Quand c'est la multitude qui détient le gouvernement en vue de l'avantage commun, la constitution est appelée du nom commun à toutes les constitutions, c'est une république. »

Phrase littéralement intraduisible : je veux dire que, traduite à la lettre, elle n'aurait eu à peu près aucun sens, puisqu'elle eût dit que, dans le cas considéré, dans ce qu'il a de spécifique, la constitution s'appelle constitution. Le traducteur le plus récent des *Politiques*, Pierre Pellegrin, propose d'écrire plutôt que, dans ce cas, la constitution s'appelle « gouvernement constitutionnel » – ce qui n'est pas beaucoup plus clair, ni d'ailleurs plus juste (car un gouvernement aristocratique ou monarchique peut aussi, au sens où l'entend Aristote, être « constitutionnel », c'est-à-dire doté d'une constitution droite, s'il vise le bien commun). En tout état de cause, la traduction usuelle depuis l'époque romaine a consisté à faire surgir ici la notion même de république, de façon, il faut en convenir, extrêmement confuse : contrairement à ce que laisse en effet entendre cette traduction, la « république » n'est pas le nom commun à toutes les constitutions, sauf si, comme je l'ai suggéré peu à peu dans ma lecture, on réinterprète rétrospectivement *politeia*, qui désigne toute constitution, en entendant par là les constitutions qui visent le bien commun (pour Aristote : le bonheur) : dans ce cas, « république » devient, en grande partie par convention, synonyme de toute

81

constitution droite. En grande partie par convention, puisqu'il s'agit d'un choix de traduction, non dicté par le terme même qui s'est trouvé ainsi traduit. Au reste, cette convention n'est pas absurde, puisque le terme de *respublica* fait référence à l'intérêt commun ou public par opposition à l'intérêt particulier et que c'est là ce que visent toutes les constitutions droites. Sans être absurde, cette convention souffre toutefois de deux défauts :

— D'une part, l'acception large du terme est devenue relativement insolite dans notre français d'aujourd'hui – où nous avons quelque peine, notamment, à parler d'une aristocratie républicaine.

— D'autre part et surtout, cette acception large tend, par sa confusion possible avec l'acception restreinte, à laisser penser que la république (entendue au moins comme le gouvernement du plus grand nombre dans le sens du bien commun) constituait dans l'esprit d'Aristote la seule réponse possible à la question du meilleur régime politique. Ce qui, nous l'avons compris, n'était nullement le cas. Plus redoutable encore : cet imbroglio verbal peut induire la conviction, bien au-delà d'Aristote, que la république au sens restreint (celui d'Aristote ou un autre, que l'histoire se serait chargée, on va le voir, de compléter ou d'infléchir) constitue nécessairement la forme politique qui convient pour gouverner un peuple libre. Philosophie politique possible, certes, au sens où c'est bien là, comme la suite de ce livre le montrera, une manière de répondre à la question de savoir qui doit gouverner un peuple libre et comment il doit le faire : pour autant, chez les Modernes notamment, sauf à avoir déjà fait le choix du républicanisme plutôt que d'autres figures de la démocratie, présenter cette réponse comme la seule qui se puisse envisager consiste bel et bien à transformer la référence républicaine en un dogme.

Précisément pour épargner à la référence républicaine, qui le mérite bien, un tel dogmatisme sclérosant, il importe de manier avec d'extrêmes précautions l'appareillage conceptuel que nous avons ainsi hérité d'Aristote. Parmi ces précautions l'une des plus indispensables engage, dès le moment aristotélicien, ce rapport entre république et démocratie dont j'ai déjà eu l'occasion de noter, dans mon avant-propos, en quoi il donnait lieu aujourd'hui à de bien dommageables simplifications.

RÉPUBLIQUE ET DÉMOCRATIE : LA POSITION D'ARISTOTE

En rappelant l'appareillage conceptuel délicat que nous a légué Aristote, j'ai veillé à ne pas utiliser le terme de « démocratie » pour définir le régime républicain au sens précis : le lecteur pourrait s'en étonner, dans la mesure où le gouvernement du plus grand nombre, mené dans le sens du bien commun, ferait songer volontiers à ce que nous appelons la démocratie. Les choses sont pourtant, dans la façon dont Aristote les conçoit, plus complexes et méritent d'être cernées avec netteté.

J'y ai fait allusion : Aristote considère que les trois types de gouvernement distingués par lui peuvent aussi dévier dans le sens de l'intérêt particulier. La monarchie devient alors tyrannie, l'aristocratie devient oligarchie, et la « république », au sens restreint du terme, se transforme en « démocratie ». Aristote appelle donc « démocratie » le gouvernement du plus grand nombre, non pas dans le sens de l'intérêt général, mais dans celui de l'intérêt particulier du plus grand nombre ou, comme il le nomme aussi, de la « masse ».

Faisons donc soigneusement le point. D'une part, avec Aristote, émerge déjà l'idée, qui ne cessera plus d'être présente dans la tradition du républicanisme, selon laquelle « républicaine » est une politique qui vise l'intérêt général comme tel : le bien commun n'est pas ici conçu (il faut y insister, tant il est vrai que, y compris aujourd'hui encore, tout va, dans le débat ultérieur avec le libéralisme, se jouer sur ce point) comme la résultante d'initiatives poursuivant chacune un intérêt particulier, mais un gouvernement républicain développe une politique délibérée du bien commun ou de l'intérêt général. Toute visée de l'intérêt particulier se trouve au contraire conçue comme un facteur de déviation politique, puisque c'est elle qui engendre ces formes politiques défectueuses qui correspondent à la tyrannie, à l'oligarchie et à la démocratie.

Où l'on trouve à nouveau, précisément à travers cette distinction entre république et démocratie, le rôle central accordé, dans le cadre républicain, à la problématique de la vertu : être proprement républicain, et ne pas laisser la république dégénérer en démocratie, c'est ici, pour le gouvernement ou pour les gouvernants, se détourner de poursuivre, de quelque manière que ce puisse être, leurs avantages particuliers. Au cœur de la problématique républicaine se posera donc nécessairement (et c'est là un héritage direct de la façon dont le problème du meilleur régime avait été réglé par Aristote) la question de la vertu des citoyens. D'un certain côté, il faut y insister, le gouvernement du plus grand nombre ou de la multitude est celui qui exige le moins d'effort de vertu de la part des gouvernants, parce que l'intérêt du plus grand nombre, tout en étant un intérêt particulier, est le moins éloigné de l'intérêt général. D'un autre côté cependant, pour ne pas se borner à l'intérêt de la multitude, mais considérer l'intérêt commun, le gouvernement du plus grand nombre doit tout de même s'imposer sans cesse un processus d'arrachement à l'intérêt particulier : en quelque façon, si j'ose dire, moins particulier que les autres intérêts particuliers, l'intérêt du plus grand nombre reste tout de même un intérêt particulier ! Exigence dont la prise en compte conduit alors à une difficulté que les *Politiques* soulèvent en quelques lignes (III, 7) qui, parce qu'elles sont passablement confuses, ont donné lieu à beaucoup d'interprétations, mais qui continuent, si nous cherchons à cerner la logique républicaine, de requérir notre attention.

Tout en notant qu'il est « rationnel » ou « logique », pour les motifs déjà relevés, que le gouvernement du plus grand nombre, quand il se développe dans le sens de l'intérêt commun, s'appelle « république » (*politeia*), Aristote insiste sur le fait qu'« il peut arriver qu'un seul individu ou qu'un petit nombre se distingue par sa vertu, alors qu'il est vraiment difficile qu'un grand nombre de gens possèdent une vertu dans tous les domaines ». Autrement dit : même si l'intérêt du plus grand nombre est, en droit, le plus proche de l'intérêt commun (ce pourquoi il est logique que ce soit le gouvernement du plus grand nombre qu'on appelle « république »), le trajet vertueux qui conduit à être « républicain » (à rechercher, au lieu de l'avantage propre, l'avantage commun) serait plus difficile à accomplir pour une masse que pour une élite ou un monarque. De fait, on parvient à se représenter plus aisément la vertu d'un seul ou d'un petit nombre que la vertu de la multitude.

D'une certaine manière, cette hésitation, au demeurant bien compréhensible, sur la capacité du gouvernement du plus grand nombre à être vraiment « républicain », alors même que ce devrait être ce type de gouvernement qui incarne le mieux l'idée de meilleur régime, décida de tout l'avenir de la problématique républicaine. Comment éviter en effet, pour poser la question dans les termes d'Aristote, qu'une république ne soit qu'une démocratie ? Le sens péjoratif du terme de démocratie, qui apparaît ici, finira par disparaître de l'histoire ultérieure de la philosophie politique. Du moins subsistera-t-il, avant de réapparaître, nous l'avons perçu, dans certains de nos débats contemporains, jusqu'à la fin du XVIIIᵉ siècle : ainsi Kant, qui défend la constitution républicaine, critiquera encore sévèrement la démocratie (*Doctrine du droit*, § 51), en l'entendant comme démocratie directe et en estimant que la « forme démocratique de gouvernement », celle où l'on mettrait à la tête de la république la « volonté unifiée du peuple », « est de toutes la plus complexe » – à quoi il opposera sa propre conception de la « vraie république » comme « système représentatif du peuple », donc au fond une autre figure, celle qui nous est la plus familière, de la démocratie. Nous n'en sommes pas là avec Aristote, qui pour sa part oscille entre deux positions :

— soit laisser ouverte la question de l'identification du meilleur gouvernement, en montrant (comme il le fait dans la suite du livre III de ses *Politiques*) que les trois régimes (monarchie, aristocratie, gouvernement du plus grand nombre) ont leurs avantages et leurs inconvénients, selon les circonstances, dès lors que l'esprit en est républicain ;

— soit suggérer (comme dans ces fameuses dernières lignes du chapitre VII) qu'il serait « logique » de dire que c'est le gouvernement du plus grand nombre qui constitue le meilleur régime (le plus propre à être d'esprit républicain), en optant pour ce que nous appellerions aujourd'hui une démocratie républicaine : pour sa part, puisqu'il réserve le terme de démocratie à la version déviante d'un tel idéal, il désigne simplement ce régime comme un régime républicain, où c'est le plus grand nombre qui est le souverain et qui gouverne dans l'intérêt commun. Encore lui apparaît-il indispensable de souligner que même ce régime le plus logiquement républicain (puisque l'intérêt du plus grand nombre est le plus proche de l'intérêt de tous) rencontre inévitablement l'aporie de la vertu des citoyens.

Ce que nous voyons ainsi apparaître avec Aristote, et qui restera présent dans toute la tradition ultérieure se réclamant du républicanisme, c'est donc cette question de la vertu républicaine : comment faire qu'un gouvernement soit républicain et ne se soucie que de l'intérêt commun ? Cette question de la vertu s'est ici inscrite au cœur de l'exigence, issue d'Aristote, selon laquelle la démocratie, comprise comme le gouvernement du plus grand nombre, ne saurait être à elle seule la solution du problème politique – car encore faut-il que le gouvernement de ce « grand nombre » (qui, de par les convictions du monde antique, n'est au reste pas si grand qu'il pourrait être, puisqu'il n'inclut parmi les citoyens ni les femmes, ni les métèques, ni les esclaves) agisse dans l'intérêt commun : quand bien même l'on tiendrait que confier le gouvernement au plus grand nombre (aux citoyens) est une condition nécessaire d'émergence du meilleur régime, ce ne saurait être là une condition suffisante, puisqu'il faut qu'une deuxième condition vienne à être remplie, qui réside dans la vertu des citoyens eux-mêmes. Ainsi l'invention de la république coïncidait-elle avec la formulation du problème de la vertu civique.

La question de la vertu : Aristote pour préparer à Rousseau ?

Cette coïncidence aurait pu être fortuite. Du moins pourrait-on le croire en songeant qu'Aristote ne s'était heurté à cette difficulté que dans la mesure où il n'envisageait, comme la troisième des formes possibles du gouvernement, que celui du plus grand nombre, et non point le gouverne-

ment de tous : il se donnait ainsi, pourrait-on penser, une situation où par définition l'intérêt de ce
« plus grand nombre », tout en s'approchant de
l'intérêt commun, ne coïncidait pas encore avec
lui. Bref, l'on pourrait croire que, quand le problème de savoir comment gouverner un peuple
libre sera reposé dans le cadre moderne, avec
identification du souverain non pas au plus grand
nombre, mais bien à tous les membres de la cité, la
problématique proprement républicaine, celle de
la vertu civique, n'aura plus lieu d'être : en quelque façon, dans ce nouveau contexte (celui d'une
démocratie véritable, où ce sera, comme l'écrira
Kant, proprement le peuple, c'est-à-dire la
« volonté unifiée » de tous, qui, directement ou,
de façon moins déraisonnable, indirectement,
gouvernera), il n'y aurait plus de place à ménager
pour l'effort consistant à s'arracher à l'intérêt
encore particulier qu'est l'intérêt du plus grand
nombre en vue d'accéder à l'intérêt véritablement
général.

En vérité, rien ne s'est pourtant passé ainsi dans
l'histoire de la réflexion sur le meilleur régime, et
la problématique républicaine (au sens de cette
problématique aristotélicienne de la vertu), loin
d'avoir disparu, a au contraire redoublé de vigueur
quand, au premier chef avec Rousseau, les
Modernes ont compris que même la volonté de
tous ne coïncide pas nécessairement avec la
volonté générale. Ou quand ils ont craint que

l'intérêt de tous, tel qu'il est simplement la résultante des intérêts particuliers, ne corresponde pas forcément à l'intérêt général et au bien public. Dès lors que cette crainte conduira certains des Modernes (qui ne sont guère loin d'être ceux que l'on peut le plus certainement désigner, parmi l'ensemble des « démocrates », comme les « républicains ») à distinguer sans réconciliation possible la volonté de tous, résultante des passions, et la volonté générale, seule ordonnée au bien commun, une nouvelle version de la problématique issue d'Aristote réapparaîtra avec d'autant plus de puissance : comment faire que le gouvernement, non plus seulement du plus grand nombre, mais de tous par tous soit « républicain » et vise bel et bien l'intérêt commun ? Où l'on retrouve alors, sous une formulation certes renouvelée, la question de la vertu des citoyens, avec son retentissement si direct (songeons à Rousseau et à la façon dont, publié lui aussi en 1762, l'*Emile* tente d'apporter au *Contrat social* un complément qui s'en trouve conçu comme inséparable) sur la place accordée à l'éducation morale des citoyens dans la problématique politique.

Aristote a ainsi légué aux Modernes la perspective d'une non-coïncidence entre république et démocratie, ou plus exactement, quand le terme de démocratie ne sera plus utilisé de façon péjorative, celle selon laquelle, sur fond de démocratie, il peut exister plusieurs versions possibles du

91

modèle démocratique. Dans cette perspective, une de ces versions serait proprement ou spécifiquement « républicaine ». Il n'est pas impossible alors de comprendre qu'une autre version au moins s'en pourrait aussi envisager – une version qui, éventuellement, se soucierait moins de la vertu des citoyens et serait davantage convaincue que l'on peut faire du « juste » ou faire du « droit » avec des citoyens poursuivant leurs intérêts particuliers : ainsi la tradition démocratico-libérale viendra-t-elle prendre place à côté de la tradition démocratico-républicaine.

LE GLAIVE AU SECOURS DE LA LOI ?

S'il fallait encore faire ressortir davantage tout ce que le républicanisme doit aux réflexions d'Aristote, il conviendrait d'attirer l'attention sur la phrase très étonnante par laquelle se clôt, chez celui-ci, la mise en place du problème que pose la vertu du citoyen dans un dispositif politique où le souverain serait le plus grand nombre. Aristote émet en effet une suggestion étrange – savoir qu'il est effectivement difficile d'imaginer qu'un grand nombre de gens possède une vertu dans tous les domaines, « avec comme exception principale la vertu guerrière » : c'est pourquoi, conclut Aristote, « dans cette dernière sorte de constitution » (celle, bien sûr, de la république), c'est « la classe

92

guerrière qui est absolument souveraine et ce sont ceux qui détiennent les armes qui participent au pouvoir ». Je n'ai trouvé chez les interprètes aucun commentaire spécialement attentif de cette phrase, ni aucune explicitation, ni même le signe que qui ce fût y eût vraiment prêté attention. Je la trouve pourtant tout à la fois fort énigmatique et très éclairante sur la dynamique républicaine.

L'indication sur la souveraineté des guerriers est en premier lieu énigmatique : on ne peut dire en effet si Aristote souhaite, redoute ou simplement constate ce processus, bref si son analyse est descriptive ou normative. En tout état de cause, il invite à réfléchir à l'éventualité que ce soit sous la forme d'un dispositif politique où le plus grand nombre abandonnerait, par défaut d'intérêt pour le bien commun, son droit d'exercer la souveraineté aux militaires, plus habitués à « servir », que le gouvernement républicain trouverait à inscrire dans le réel la recherche du bien commun qui le définit.

Cette suggestion doit ensuite, je le crois, nous éclairer sur une certaine logique du républicanisme. Cet éclairage vaut sur le plan historique : la dérive d'un certain nombre de démocraties, au fil de l'histoire, vers des formes de pouvoir de type militaire (on peut penser à Bonaparte, mais aussi à bien d'autres exemples) oblige rétrospectivement, de fait, à être attentif à ce qui se trouvait pointé déjà par Aristote – et à se demander dans quelle mesure ce n'est pas la problématique républicaine de la vertu qui contenait déjà en elle la possibilité de telles dérives. Interrogation d'autant moins contournable qu'au-delà même de l'histoire, l'option « guerrière » ou « militaire » en est venue parfois à se trouver revendiquée par certains théoriciens du républicanisme.

Je pense bien sûr ici à Régis Debray et à sa conviction, affirmée parfois jusqu'à l'hyperbole, qu'en république le « peuple législateur » sait aussi être le peuple en armes : un peuple dont le « civisme », « ne séparant jamais l'amour de la liberté de l'amour de son pays », le conduit à comprendre que « l'égalité des citoyens devant la loi » n'est rien « sans l'égalité devant la mort » : en sorte que, « là où chaque citoyen doit pouvoir répondre de la liberté des autres, et donc, le cas échéant, porter les armes, on met la nation dans l'armée et l'armée dans la nation ». Outre que cette façon républicaine de faire des citoyens en armes la plus haute incarnation des vertus civiques conduit à défendre l'armée de conscription et le service national, elle expose à considérer que c'est sans doute dans la sphère militaire que l'on trouve le plus de dispositions à défendre le bien commun, en l'occurrence jusqu'au péril de sa vie : comment ne pas être tenté, dans ces conditions, d'adjoindre au théorème de la souveraineté populaire une sorte de scholie soulignant qu'être républicain, c'est aussi reconnaître, à côté de la valeur sacrée de la constitution et du code civil, le rôle du glaive dans le gouvernement des hommes ? Et si, « comme l'Homo sapiens est un mammifère *plus* » (la raison, le langage, etc.), « la république est la démocratie *plus* », pourquoi ne pas dire alors qu'elle est la démocratie plus le rôle civique, donc politique, de l'armée – un rôle délimité, subordonné certes au pouvoir du peuple, mais indispensable [1] ?

Assurément cette représentation d'une république ambidextre, le code dans une main, la lance dans l'autre, relève-t-elle, chez ses chantres d'aujourd'hui, de bien d'autres filiations, d'ailleurs mêlées, que de celle qui trouve son point de départ chez Aristote. Il n'en demeure pas moins que, jusques et y compris dans ses tours et détours apparemment les plus éloignés, où les mânes de Lazare Carnot et de l'armée de l'an II voisinent parfois avec le souvenir de Che Guevara et de la guérilla latino-américaine, la conscience républicaine aura vu sa logique la plus spécifique se profiler dès ce moment aristotélicien. Ce profilage antique a au demeurant quelque chose de paradoxal, puisque cette version de l'idée démocratique que constitue pour nous l'idée républicaine s'est ainsi esquissée dans un contexte où la solu-

---

1. Présents dans l'article de 1995 « Etes-vous démocrate ou républicain ? », ces thèmes ont été longuement développés et assumés par Régis Debray dans l'essai intitulé *Le Code et le Glaive. Après l'Europe, la nation*, Paris, Albin Michel / Fondation Marc Bloch, 1999.

tion « démocratique » du problème du « meilleur régime » était loin encore de se trouver fixée dans les termes où elle le sera chez les Modernes : un paradoxe qui constitue par lui-même une raison impérieuse de prendre en considération ce qui a pu faciliter la rencontre de l'exigence républicaine avec les conditions de la modernité politique. Deux enrichissements apportés, avant la naissance de cette modernité, puis au moment même où elle est née, à ce qu'avait conçu Aristote méritent à cet égard d'être mentionnés pour compléter ce coup de sonde en direction de ce que le républicanisme doit à la tradition républicaine de l'Antiquité.

LA PHILOSOPHIE ROMAINE DE LA RÉPUBLIQUE

Le premier enrichissement apporté, du sein même du monde antique, à la problématique inventée par Aristote date du monde romain, plus précisément de Cicéron. Encore Cicéron, dont le *De republica* constitue, dans la formation de la conscience républicaine, un moment fort, s'est-il trouvé redevable d'une part de sa contribution à cet historien de langue grecque que fut, à l'époque de la domination romaine, Polybe. Ce Romain qui parlait grec fut proche, au IIᵉ siècle avant notre ère, d'hommes politiques importants dans l'histoire de Rome, comme Scipion Emilien, connu pour avoir été l'adversaire des réformateurs démocrates que furent les Gracques. Or, au livre VI de ses *Histoires*, Polybe entreprenait de démontrer que, si Rome l'avait à ce point emporté sur la plupart de ses rivales et avait assis son pouvoir sur l'ensemble de ce que nous appelons aujourd'hui l'Italie, puis sur toute une partie du bassin méditerranéen, c'était essentiellement en raison de la supériorité de sa constitution républicaine. Une supériorité que Polybe, faisant ainsi surgir une idée nouvelle et durable dans la tradition du républicanisme, attribua au fait que la république romaine combinait, selon un système mixte, le principe monarchique de la puissance (dans la personne des consuls), le principe aristocratique de la sagesse (sous la forme du sénat) et le principe démocratique de la liberté populaire (notamment à travers les tribuns de la plèbe).

C'est cette idée de gouvernement mixte que Cicéron reprend et développe un siècle plus tard, au Ier siècle avant notre ère, dans son *De republica*. Je me borne à en extraire ce passage fameux (I, 25) :

« La république est donc la chose du peuple ; et par peuple, il faut entendre, non pas tant un assemblage d'hommes groupés en troupeau d'une manière quelconque, qu'un groupe nombreux d'hommes associés les uns aux autres par leur adhésion à une même loi et par une certaine communauté d'intérêts. »

Où l'on perçoit clairement la filiation aristotélicienne, à travers l'identification de l'esprit républicain à l'orientation vers l'intérêt commun, mais aussi un apport nouveau à la réflexion sur les moyens politiques de réaliser cette orientation. Comme Polybe, Cicéron tient pour le meilleur moyen d'y parvenir le gouvernement mixte, consistant en ceci qu'il doit y avoir « dans la république une autorité supérieure et royale, une part faite aux grands, et aussi des affaires laissées au jugement et à la volonté de la multitude » (I, 45). Pour résoudre le problème soulevé par Aristote et qui continue de fournir le cadre de toute la réflexion, il s'agirait donc de combiner les types de régime dans lesquels ce dernier avait souligné que, sous leur forme dégénérée, le pouvoir risquait de correspondre à l'expression d'un intérêt particulier. Plus précisément encore : plutôt que d'essayer d'éviter cette dérive en réfléchissant aux moyens de garantir, en monarchie, en aristocratie ou quand il s'agit du gouvernement du plus grand nombre, l'orientation vers l'intérêt général, Polybe, puis Cicéron tentent de construire le gouvernement de l'intérêt général par la combinaison de pouvoirs représentant chacun un type particulier d'intérêt. En ce sens, régime mixte, la république combinera les meilleurs traits de la démocratie, de l'aristocratie et de la monarchie, en supprimant leurs faiblesses virtuelles, lesquelles tiendraient seulement à l'unilatéralité des intérêts auxquels chacun de ces régimes risque de correspondre. Ainsi, par exemple, une institution comme le sénat romain, participant davantage, intrinsèquement, de l'aristocratie que de la logique démocratique (puisque les sénateurs étaient élus par la classe oligarchique des patriciens), pouvait-elle apparaître trouver une tout autre signification dans un dispositif politique qui, par ailleurs, sous la forme des comices élisant les tribuns de la plèbe, faisait sa place à la participation populaire.

Il n'est pas difficile d'apercevoir ce que représentait, par rapport à ce qu'avait mis en place Aristote, cette tentative romaine, thématisée aussi bien par Polybe que par Cicéron. Il ne s'agissait à vrai dire de rien de moins que d'essayer de contourner la problématique de la vertu qui, chez Aristote, rendait nécessaire toute la réflexion sur l'éducation qui occupe presque entièrement les deux derniers livres de ses *Politiques.* Essai par lui-même passionnant, notamment pour nous, rétrospectivement, depuis que, Rousseau ayant sur ce point largement renforcé ce que l'on pouvait soupçonner dès Aristote, la thématique de l'éducation aux vertus civiques a révélé, l'avant-propos de ce livre l'a rappelé, toute sa redoutable complexité.

Enrichi par cette thématique de la mixité du régime républicain, l'héritage d'Aristote, dont la plasticité demeurait grande, eût pu ouvrir, assurément, sur un tout autre républicanisme que celui qui a choisi de ne voir dans la diversité des intérêts particuliers que l'ennemi mortel du bien commun. De cet apport romain se dégageait en fait la possibilité d'un dédoublement de la référence républicaine, selon la réponse apportée à la question de savoir si, pour produire l'ouverture à l'intérêt général, il peut suffire, comme l'avait envisagé Cicéron après Polybe, de procéder à une combinaison institutionnelle de pouvoirs orientés chacun vers des intérêts particuliers ou par des intérêts particuliers : cette conception de la république comme régime mixte a eu en tout état de cause elle aussi sa postérité, dont le prochain chapitre analysera le moment le plus impressionnant. Son existence même pourrait en tout cas jouer, dans le débat contemporain sur les figures de la démocratie, un rôle que nous ne saurions raisonnablement négliger si nous voulons construire, à propos de ce nous appelons la république, un concept qui soit plus ouvert et moins dogmatique qu'il ne l'est souvent devenu en France. Ce pourquoi, selon la même logique, il faut encore verser au dossier de la république un second enrichissement apporté, cette fois lors de la naissance de la modernité, à un héritage antique encore tout proche.

Archéologie du républicanisme

Le « moment machiavélien » a été si étudié, notamment depuis l'ouvrage de John Pocock [1] publié sous ce titre en 1975, par les historiens de la naissance de la modernité politique qu'on ne saurait ici que l'évoquer sous un angle délibérément restrictif. Dans le prolongement des suggestions qui viennent d'être faites sur le dédoublement de la référence républicaine, on se bornera en fait à observer que, du moins pour une part, ce par quoi Machiavel s'intègre dans la tradition républicaine correspond à une explicitation de ce que nous avons vu mis en avant par la philosophie politique romaine.

On sait que Machiavel soutient que ce qu'il nomme la Fortune exerce son pouvoir et sa domination de manière à peu près universelle. On sait aussi qu'il désigne ainsi la part d'irrationalité qui fait que le devenir et l'histoire des choses humaines sont soumis à une forte dimension aléatoire et apparaissent en fait comme sans but, ni fin – comme c'eût été le cas en revanche s'ils avaient été ordonnés par un quelconque plan transcendant. De ce thème bien connu, Machiavel déduisait de puissantes conséquences pour la

---

1. J. Pocock, *Le moment machiavélien*, trad. fr., Paris, PUF, 1975. Il faut aussi mentionner les importantes études de Quentin Skinner.

philosophie politique et pour la politique elle-même : précisément parce que tout est soumis aux caprices de la fortune, l'acteur historique doit d'autant plus faire preuve de courage et de volonté pour contrecarrer ce pouvoir irrationnel qui s'exprime dans le cours des choses et imprimer au sein du chaos du devenir une dimension d'ordre. De là procède ce qui sans doute frapperait le plus, chez Machiavel, un lecteur qui aurait suivi, dans l'histoire de la conscience républicaine, la trajectoire conduisant d'Aristote jusqu'à Polybe ou Cicéron, et qui trouverait dans *Le Prince* une nouvelle insistance sur le rôle politique de la *virtù* : grande pourrait être alors la tentation de diagnostiquer là une simple résurgence de cette fameuse dimension de la vertu dont Aristote avait déjà laissé penser que, sans elle, la perspective même d'un bon ordonnancement des choses politiques perdrait toute consistance. En ce sens, si Polybe et Cicéron amorçaient la possibilité d'un autre républicanisme que celui qui attendrait avant tout de la vertu civique la réalisation du meilleur régime, Machiavel serait au contraire celui qui, à l'aube de la modernité, aurait contribué le plus à redonner à cette problématique de la vertu, sous une forme certes renouvelée, la place que lui avait ménagée déjà Aristote et même à renforcer cette place. Cet axe de lecture est assurément possible : il correspond au fond à celui qu'ont privilégié les ouvrages de John Pocock et de Quentin Skinner.

De fait, les pages fameuses consacrées par Machiavel à la *virtù* permettent-elles de comprendre pourquoi il est devenu, lu sous cet angle, le grand homme des républicanistes contemporains.

Je n'entrerai certes pas avec d'aussi éminents interprètes de Machiavel dans la moindre esquisse d'un débat, et ce d'autant moins que leur lecture, je le répète, est parfaitement praticable. Ce me semble cependant être aussi une manière de redonner au moment machiavélien toute son importance que de souligner à quel point cette réactivation de la thématique de la vertu, dont le monde romain avait tenté de faire l'économie, est déconcertante : elle s'accomplit en effet dans le cadre d'une pensée qui, pour ce qui touche à la teneur proprement politique du meilleur régime, apparaît prolonger ce que nous avons désigné comme le moment « romain ». Compte tenu de cette donnée, je voudrais donc proposer à qui voudra bien me suivre d'intégrer également à son appréhension de Machiavel un second axe de lecture. Il n'est pas, à mes yeux, plus « vrai » que le précédent, mais il me semble que nous gagnons à compléter le premier axe par le second, à la fois pour cerner la subtile contribution du moment machiavélien à la construction de la conscience républicaine et (ce qui est à mes yeux plus important encore) pour cerner la complexité même de cette figure républicaine de la conscience politique.

Ce second axe de lecture consiste à partir de l'ordre institutionnel que, si l'on écoute Machiavel, nous devrions viser. A cet égard, Machiavel réactive largement ce que Polybe ou Cicéron avaient esquissé seize ou dix-sept siècles plus tôt. De fait, ses *Discours sur Tite-Live* soulignent que, dans l'histoire, aucune des formes classiques de gouvernement n'est parvenue à une véritable stabilité : ni ce que Machiavel appelle la « principauté », et qui correspond à la monarchie, ni le régime des *optimates*, qui correspond à l'aristocratie, ni non plus le « gouvernement populaire », c'est-à-dire la démocratie. L'auteur des *Discours* reprend sur ce point une thèse classique : celle de l'éternel retour, cyclique, des régimes politiques, chacun remédiant aux défauts qui avaient précipité la chute du précédent, jusqu'à reconduire ainsi au point de départ, et cela, à jamais. Rien que de très classique encore dans l'explication machiavélienne de cette instabilité par référence à la tendance de chacun des divers régimes possibles à constituer, comme l'avait déjà souligné Aristote, le point de départ d'une dérive : la monarchie tend au despotisme, l'aristocratie à l'oligarchie et le gouvernement du peuple à l'anarchie. Bref, depuis Aristote, les dénominations des régimes ont pu changer, les dérives qui les menacent respectivement peuvent être identifiées de façon partiellement différente, reste que la problématique dont hérite la réflexion politique est la même : comment briser ce cycle infernal en organisant un régime véritablement consistant ?

Sans entrer dans une analyse plus détaillée, disponible chez Pocock ou Skinner, de la réponse machiavélienne, je me bornerai à faire ressortir ce qui, en elle, ne se réduit pas à l'axe de lecture qui privilégie la thématique de la vertu. A cette fin je caractériserai simplement cette réponse par deux traits.

Le premier consiste seulement à reprendre, dans l'interrogation sur le meilleur régime, la solution de la mixité constitutionnelle. En bref : la république est supérieure aux autres régimes précisément parce qu'elle est une constitution mixte qui, en conjuguant les divers principes possibles, parvient à compenser l'instabilité inhérente aux divers types de régime. Raisonnement simple et clair : dans une république, lorsqu'une des trois composantes tend à faire prévaloir son autorité, elle se heurte à la vigilance des deux autres, qui l'empêchent d'aller plus loin dans le sens d'une usurpation de pouvoir. Ainsi l'ordre politique devient-il ce que tous défendent, et non plus ce qu'un pouvoir essaye d'imposer pour se soumettre tous les autres. De cette reprise du thème, classique depuis le monde romain, de la mixité du régime républicain, Machiavel tire cependant une conséquence originale, qui donne à sa conception de la chose publique son second trait caractéristique.

Dans une république, il faut plutôt cultiver que réduire ou supprimer les dissentiments et les désunions. Conséquence logique, puisque c'est la poursuite de ses intérêts par chaque partie qui, dans le concours qui s'établit avec les autres intérêts, favorise sans cesse le rééquilibrage de l'ensemble : un rééquilibrage qui s'accomplit à la fois dans le sens du bien commun et (en évitant la domination despotique d'un intérêt sur tous les autres) dans celui de la liberté. Ce qu'exprime la formule célèbre du *Discours sur la Première Décade de Tite-Live* : « Rome n'arriva à cette perfection que par les dissentiments du sénat et du peuple. » De ce fait, ajoute Machiavel, « je soutiens à ceux qui condamnent les querelles du sénat et du peuple qu'ils condamnent ce qui fut le principe de la liberté ». Ou encore : « Dans une république, il y a deux partis : celui des grands et celui du peuple », et « toutes les lois favorables à la liberté ne naissent que de leur opposition ».

Thème provocateur (l'ordre naît de la discorde) sur lequel c'est sans doute Claude Lefort qui a le plus fortement mis l'accent. Dans un ouvrage presque contemporain de celui de Pocock, mais largement antérieur aux lectures « républicanistes » de Machiavel pratiquées aujourd'hui en France par les disciples de ce dernier, Lefort avait en effet attribué à l'auteur des *Discours sur Tite-Live* le mérite d'avoir le premier fait surgir cette dimension constitutive de la modernité démocratique qui réside dans la reconnaissance de la « division originaire du social ». Puisque l'occasion m'est ainsi donnée de saluer au passage cette étude désormais méconnue, j'en profite pour rappeler que, dans le débat intellectuel français des années 1970, le contexte d'une telle lecture de Machiavel était celui de la lutte antitotalitaire, pour laquelle il s'agissait alors d'élaborer un appareillage conceptuel ; ainsi l'idée directrice de cette relecture consistait-elle à inviter à penser qu'en démocratie, la « division originaire du social » s'oppose à la façon dont les Etats totalitaires procèdent au contraire à l'homogénéisation draconienne de la société, en supprimant en elle toute la diversité [1]. Le contexte a aujourd'hui changé, et la plupart des lectures de Machiavel, inspirées par Pocock ou par Skinner, sont désormais animées par le souci de chercher dans son œuvre, non plus une alternative à l'Etat totalitaire, mais une alternative à l'Etat démocratico-libéral. Le Machiavel du début des années 1970 était démocrate, celui d'aujourd'hui est républicain. Je ne suis pas certain que ce changement de contexte ne conduise pas à laisser de côté, chez Machiavel, une dimension de sa réflexion qui fait précisément que sa contribution à la formation de la conscience républicaine est plus complexe, plus riche aussi, qu'on ne le croit parfois en insistant

---

1. C. Lefort, *Le travail de l'œuvre. Machiavel*, Paris, Gallimard, 1972.

trop exclusivement sur la réactivation du thème de la vertu.

La prise en compte de l'insistance machiavélienne sur la division du social et sur la fécondité de cette division invite pour le moins à s'interroger sur la consistance de la tradition républicaine à laquelle on a choisi de le faire appartenir. En quoi cette insistance sur la division du social n'est-elle pas en effet aussi un élément du patrimoine intellectuel du libéralisme politique ? Que l'on songe par exemple à la main invisible de Smith, à la *Fable des abeilles* de Mandeville, voire à la « ruse de la raison » hégélienne : l'idée que la poursuite, par chacun, de ses propres intérêts favorise le bien commun est à l'évidence un schème libéral. Plus précisément, on a l'impression qu'avec Machiavel, la conception républicaine de la liberté, qui, jusqu'alors, était plutôt centrée sur la liberté conçue de façon positive comme participation au pouvoir politique (y compris chez Aristote), tend à se mêler d'une composante de ce que l'on désigne depuis Isaiah Berlin en termes de liberté négative : l'idéal n'est plus seulement celui d'une vie civique active, mobilisant la vertu (pour que l'activité soit orientée vers l'intérêt général), mais cet idéal s'énonce aussi comme celui d'une absence de contrainte. En évitant toute entrave inutile au jeu des intérêts particuliers divergents, cette absence de contrainte, cette liberté négative laisse s'accomplir le travail de la discorde et permet à la division du social de produire son œuvre, c'est-à-dire précisément l'émergence progressive et pour ainsi dire spontanée d'un bien commun.

*

A restituer à l'œuvre de Machiavel cette dimension que n'épuise pas l'insistance sur la question de la vertu, nous pouvons alors nous forger, sur le rôle que cette œuvre a joué dans la formation de la conscience républicaine, une impression autrement nuancée : celle selon laquelle, en entrant sur le terrain de la modernité, le républicanisme, avec Machiavel, a aussi réinterrogé sa problématique majeure. Non que le républicanisme ait désormais contourné ou abandonné cette problématique : tout le débat entre démocratie républicaine et démocratie libérale prouve le contraire. Mais, peut-être parce que la reformulation moderne de la référence républicaine imposait d'intégrer des conditions nouvelles, en matière de représentation de la liberté (celles-là mêmes que l'émergence des prémisses du modèle libéral allait en son temps prendre pour principes), le moment machiavélien a pu constituer, entre deux conceptions de la démocratie qui allaient donner lieu à deux traditions distinctes, un moment d'équilibre, un point qu'on dira, selon l'appréciation qu'on portera sur lui, d'indistinction (encore féconde) ou de confusion (désormais à surmonter). En revanche, lorsque, deux siècles plus tard, à la fin du XVIIIᵉ siècle, la référence républicaine réapparaîtra à nouveau, à la fois dans la pensée de Rousseau et dans le débat américain sur la Constitution, cette indistinction, si caractéristique du moment machiavélien, se trouvera pour ainsi dire comme obligée de se dissiper – ne serait-ce que dans la mesure où, à la fin du XVIIIᵉ siècle, l'alternative libérale se sera pleinement développée et construite : dans ce contexte renouvelé, où la position libérale sera pleinement disponible, que pourra signifier une nouvelle réaffirmation de l'idée républicaine ?

Le prochain chapitre tentera, sur l'exemple de sa réaffirmation américaine, d'en donner quelque idée. Du moins peut-on déjà comprendre selon quelle logique la réaffirmation républicaine devra alors, nécessairement, se situer par rapport à l'option libérale et, en un sens, dès lors qu'elle entendra affirmer autre chose qu'elle, la refuser ou la nuancer.

CHAPITRE II

Une République libérale ?

La révolution américaine s'était d'abord déroulée dans l'esprit de la tradition anglaise du droit naturel, telle qu'elle était issue de Locke. C'est sur cette révolution, qui portait donc la marque d'une inspiration libérale, que l'inflexion républicaine est venue se greffer en partie de l'extérieur : constat souvent fait, mais qui reste juste et conduit volontiers à souligner le rôle joué à cet égard par le voyage de Jefferson en France, où il était ambassadeur à la fin de l'Ancien Régime et au début de la Révolution. Ces données expliquent que, si la thématique républicaine fut effectivement très forte lors de la naissance des Etats-Unis, elle a toujours eu dans ce cadre une tonalité sensiblement différente de celle qu'elle devait prendre en France à travers le virage de 1792-1793, où la République est née, par une

111

décision de la Convention du 22 septembre 1792, dans le contexte si particulier de l'arrivée progressive des jacobins au pouvoir. Pour autant, les Etats-Unis se sont bel et bien construits comme une « république », selon un choix politique qui s'est trouvé assumé dans sa teneur propre et expressément thématisé en tant que tel, cinq ans avant la naissance de la « république française », par les fondateurs de la « république américaine ». Les premiers constituants français, ceux dont le travail aboutit à la constitution de 1791, furent ainsi, pour ce qui touche à la représentation même du régime qu'ils essayèrent de définir, à bien des égards des imitateurs de leurs homologues d'outre-Atlantique : rappel qui peut blesser l'orgueil de nos propres « républicains » d'aujourd'hui, convaincus que la France a inventé la République, mais rappel d'autant plus indispensable que les mêmes « républicains » conçoivent justement la République comme ce qu'il nous faudrait opposer à un libéralisme politique dont la logique leur semble incarnée au mieux par l'exemple américain ! Quand bien même cette opposition devrait apparaître aussi pure et aussi simple qu'elle tend à l'être dans nos actuels débats entre « républicains » et « libéraux », encore faudrait-il par conséquent prendre acte du fait que le libéralisme politique, qui préexistait pour l'essentiel (dans l'héritage issu de Locke) à la révolution américaine, s'est trouvé lui-même mis en discussion par cette révolution.

Bref, il faut ici relativiser l'image qu'a contribué à forger Tocqueville (ou une certaine lecture, elle-même fort simplifiée, de Tocqueville) selon laquelle l'Amérique aurait fait table rase, lors de sa révolution, de toutes les sollicitations issues de l'histoire pour fonder un dispositif politique entièrement neuf. En vérité, la révolution américaine a constitué chez les Modernes, à égalité avec la révolution française et avant celle-ci, le moment où la question de savoir comment gouverner un peuple se représentant lui-même comme libre a été le plus largement débattue. Les réponses susceptibles de lui être apportées, qui mobilisaient les traditions de pensée issues d'Aristote, de Locke ou de Rousseau, y furent le plus expressément confrontées les unes aux autres, avant de conduire à une représentation du meilleur régime où elles sont certes réinvesties de manière originale, mais non point du tout écartées. Qui plus est, ce réinvestissement, qui a bien sûr concerné au premier chef les représentations de la démocratie, a débouché sur la définition d'institutions stabilisées dès 1787 : les Etats-Unis n'ont pas connu d'autre constitution que celle qu'avaient définie alors les Pères fondateurs, là où la révolution française a eu besoin de près d'un siècle pour définir de façon tant soit peu durable les institutions « républicaines » supposées correspondre à un peuple libre. Encore la constitution de la Troisième République devait-elle s'effacer devant celles de deux autres « républiques », sans au demeurant qu'il faille exclure que notre volcan politique, qui donne aujourd'hui quelques signes d'un possible réveil, produise, à la faveur d'une éruption prochaine, ce que certains décrivent déjà comme une « sixième république ».

Ainsi, non seulement la Révolution française n'a pas inventé la République, ni comme idée (le précédent chapitre l'a suffisamment montré) ni comme réalité politique (celui-ci va le confirmer), mais la république qu'elle a imaginée n'était ni la seule possible (puisque la France n'a eu de cesse d'en imaginer d'autres), ni peut-être la plus consistante : s'il est de par le monde une constitution qui a fixé dans la longue durée les institutions de la république, c'est incontestablement celle de la République des Etats-Unis d'Amérique plus que n'importe quelle autre. Observation qui justifie amplement, par elle-même, que l'on s'attache à cerner quelle formule, sous le nom de « république », les Pères fondateurs avaient au juste conçue.

Le modèle d'un peuple libre ?

Lorsque Turgot, dans une lettre célèbre de 1778 à « Monsieur Price », faisait du peuple américain, tel qu'il venait de s'insurger, « l'espé-

114

rance du genre humain » et l'appelait à « en devenir le modèle », il l'invitait à se concevoir comme chargé d'incarner l'idée même d'un peuple libre : « Il doit prouver au monde par le fait, écrivait alors Turgot, que les hommes peuvent être libres et tranquilles, et peuvent se passer des chaînes de toute espèce que les tyrans et les charlatans de toute robe ont prétendu leur imposer sous le prétexte du bien public ; il doit donner l'exemple de la liberté politique, de la liberté religieuse, de la liberté du commerce et de l'industrie. »

Ce serait par soi-même l'objet d'un autre travail, plus vaste que celui-ci, de déterminer jusqu'à quel point, de la fin du XVIIIe siècle à aujourd'hui, le peuple américain a correspondu ou non au modèle tracé par Turgot, et de faire apparaître ce qu'il y a aujourd'hui de mythique dans la conviction avec laquelle la politique américaine se présente si souvent comme la pure réalisation de cet idéal. Rien en revanche n'interdit au présent essai de considérer avec attention de quelle manière les fondateurs de la République américaine ont pour leur part, en 1787, pris clairement en charge le projet d'inscrire dans le réel l'idée d'un peuple libre, en faisant de la référence républicaine une condition de cette inscription.

Parce que le libéralisme politique, clairement à l'œuvre dans les déclarations des droits de l'homme de 1776, avait constitué l'une des inspirations fortes des insurgés et parce que c'est du républicanisme que se sont réclamés, une décennie plus tard, les Pères fondateurs de 1787 pour énoncer la constitution d'un peuple libre, la mise en lumière du dispositif conçu par ces derniers devrait nous aider à aiguiser notre perception des tensions internes à l'idée démocratique.

La piste qui ainsi se dessine risque d'autant plus d'être féconde qu'elle a été fortement balisée par les Pères fondateurs eux-mêmes, sous la forme d'un ouvrage qui demeure aujourd'hui l'un des plus grands classiques de la réflexion sur la façon de donner droit aux exigences de la modernité politique. Comment en effet ne pas se tourner ici prioritairement vers *Le Fédéraliste* ? Quelques rappels suffiront à justifier cette démarche.

Après la Déclaration d'indépendance de 1776, reconnue par la Couronne britannique seulement en 1783, le problème s'était rapidement posé aux anciens insurgés d'organiser politiquement la confédération des ex-colonies. Celles-ci s'étaient transformées en effet, rapidement, en Etats, dotés chacun d'une constitution forgée à chaque fois par une Convention supposée représenter les citoyens concernés : la Virginie dès juin 1776, quatre autres la même année, la Géorgie, puis l'Etat de New York en 1777, etc. Les formes politiques définies par ces constitutions (il y en eut rapidement treize !) furent fort diverses à de multiples égards, en sorte qu'il fallut bien, à terme, soulever le problème de savoir si l'ensemble des citoyens américains parviendraient à s'accorder sur une constitution réunissant les divers Etats.

Problème dont on perçoit aisément qu'il était considérable : la fédération ainsi recherchée devrait en effet, tout à la fois, constituer un Etat (lui-même démocratique, puisque, par fidélité à l'esprit de la révolution, les Etats que la fédération réunirait avaient fait du principe de la souveraineté du peuple la clef de voûte de leurs institutions), et en même temps inclure dans la définition de l'organisation de l'Etat fédéral une forme de respect pour la diversité des expériences démocratiques qu'exprimaient les constitutions adoptées depuis 1776. C'est en vue de résoudre ce problème délicat que s'est réunie à Philadelphie, de mai à septembre 1787, une nouvelle Convention, rassemblant des délégations issues des différents Etats, avec pour mission de rédiger une constitution fédérale : ce qui fut fait en quelques mois, de mai à septembre 1787. Exploit spectaculaire, mais qui ouvrait alors sur une autre phase, tout aussi délicate : la constitution signée le 17 septembre par les délégués à Philadelphie devait en effet être ratifiée par les électeurs des divers Etats ainsi fédérés. On imagine sans mal que ce processus de ratification exigeait bien des efforts d'argumentation, ici ou

117

là, pour convaincre les citoyens de Virginie ou d'ailleurs de réinvestir dans une démocratie infiniment plus vaste ce qui avait été acquis par eux-mêmes depuis 1776 à travers leur propre expérience démocratique. C'est originellement pour convaincre les électeurs de l'Etat de New York de ratifier, dans le cadre de ce processus, le projet de constitution fédérale que certains de ses plus vibrants défenseurs, Alexander Hamilton, James Madison et John Jay, publièrent dans la presse, d'octobre 1787 à avril 1788, une série de 85 articles, signés du pseudonyme de Publius. Diffusés d'abord dans les journaux de l'Etat de New York, ces papiers le furent ensuite dans ceux des autres Etats, avant que Hamilton, auteur de 51 des articles, ne les réunît en un volume, préfacé par lui, qui parut en 1788 sous le titre de *Federalist Papers*.

Il reste difficile de mesurer quelle influence politique eut sur la ratification même de la constitution (qui s'acheva dès juillet 1788) ce qu'on intitula en français *Le Fédéraliste*. Il suffit en revanche de se plonger dans cette extraordinaire série d'articles pour apercevoir pourquoi, au-delà même des circonstances qui présidèrent à sa rédaction et qui pourraient apparaître en limiter la portée, *Le Fédéraliste* constitue un prodigieux exercice de philosophie politique appliquée à la création d'une « république » : parce que la mise en place d'une fédé-

118

ration d'Etats doit nécessairement faire appel
aux exigences de l'intérêt général et du bien
commun, dont nous savons à quel point elles sont
au cœur, depuis Aristote, de l'idée républicaine,
toute la réflexion de Hamilton, de Madison et de
Jay ne pouvait que se trouver animée par un
effort pour cerner les relations entre république et
démocratie. Ces relations s'en trouvèrent-elles
conçues pour autant selon un modèle susceptible
de répondre à ce que nos républicanistes contemporains identifient le plus volontiers comme
« républicain » en l'opposant à ce qu'ils tiennent
pour intrinsèquement « libéral » ? C'est là une
autre question, dont l'enjeu se rattache si directement aux objectifs du présent essai que force
m'est apparue de me donner, à l'aide de ce chapitre, les moyens d'y répondre avec quelque netteté.

REFORMULER L'EXIGENCE DÉMOCRATIQUE

Par rapport aux étapes antérieures de la tradition républicaine, qu'apporte ou que vient nuancer *Le Fédéraliste* ? L'ouvrage se présente en fait
expressément comme une tentative pour conci-
lier, voire pour réconcilier la démocratie et la
république. Projet qui, toutefois, n'est compréhensible que si l'on précise qu'il s'agit aussi et
d'abord de soigneusement distinguer, en un sens,

119

les deux termes de démocratie et de république :
le 14ᵉ papier présente en effet comme une
« erreur » la manière dont « on confond toujours
une république avec une démocratie ».

Ce que Publius appelle « démocratie », c'est,
écrit-il, le régime où « le peuple s'assemble et se
gouverne lui-même » : selon un usage dont nous
avons déjà noté qu'il s'était maintenu depuis les
Grecs jusqu'au XVIIIᵉ siècle, il s'agit donc de la
démocratie directe, du gouvernement du peuple
par le peuple, condamné comme fauteur de despotisme parce que, dans ce régime, « il n'y a rien
qui puisse réprimer le désir de sacrifier le parti le
plus faible ou un individu sans défense ». Là où
le peuple gouverne lui-même, il n'y a qu'un seul
pouvoir, celui de la majorité, que rien ne peut
empêcher, s'il le souhaite, d'éliminer, au sens
propre ou au sens figuré, une minorité, voire la
minorité. Objection classique, dont l'écho se
trouvera encore dans la mise en garde de Tocqueville contre la « tyrannie de la majorité ». A quoi
Publius (ici Madison) oppose ce qu'il appelle
« république », où le « peuple s'assemble et se
gouverne par des représentants et des agents » : si
une démocratie « bornée à un petit espace » est,
comme l'avait déjà compris Rousseau, à la
rigueur envisageable, seule, dans le cadre d'une
application du principe de la souveraineté populaire, « une république peut embrasser un grand
pays ». Apparemment, ainsi conçue, cette distinc-

tion entre la démocratie et la république n'est plus guère passionnante aujourd'hui, si du moins elle se réduit à la reconnaissance d'une supériorité de la république entendue comme démocratie représentative sur la démocratie directe : à ce compte, assurément sommes-nous tous républicains. Deux points pourtant méritent notre attention dans la façon dont *Le Fédéraliste* exploite ce lieu désormais devenu commun.

Tout d'abord, de cette représentation dont Rousseau, forcé d'y consentir, s'était tant méfié, Publius fait une force constitutive d'un espace républicain entendu en un sens déjà plus précis. Rousseau avait vu dans la représentation un mal nécessaire, en y soupçonnant un facteur de déformation dans l'expression de la volonté générale. En conséquence de quoi il s'était appliqué à réduire le plus possible le rôle des députés : il fallait à ses yeux qu'ils fussent simplement porteurs d'un mandat impératif qui leur retirerait toute marge de manœuvre dans les délibérations et feraient d'eux les simples « commissaires » de leurs « constituants ». Publius choisit tout au contraire de voir dans la représentation une vertu : celle « d'épurer et d'élargir l'esprit public en le faisant passer dans un milieu formé par un corps choisi de citoyens ». Là encore le thème peut apparaître banal, tant la pratique de la représentation s'est inscrite dans nos mœurs politiques : au reste, à l'époque déjà, la défiance à l'égard de la masse des citoyens, tenue par Rousseau lui-même, dans ses *Lettres écrites de la montagne*, pour « abrutie et stupide », n'avait intrinsèquement rien d'original. Sans être neuve, la façon dont Publius argumente en faveur de la représentation est néanmoins significative d'un premier approfondissement apporté par *Le Fédéraliste* à la référence républicaine : alors que la démocratie directe (celle que Burke, qui en avait lui aussi horreur, allait dénoncer comme la « pure démocratie ») prenait le risque de faire exercer le pouvoir par des ignorants soucieux avant tout de leur intérêt particulier, la représentation procède à ce que l'on a pu désigner comme un « filtrage [1] » faisant surgir des élites définies, du moins dans le principe du dispositif représentatif, par un plus vif souci du bien commun. Parce que le député est choisi par une circonscription rassemblant un certain nombre de citoyens animés par des intérêts et des désirs différents, il s'arrache, du moins en principe, au souci du bien privé : arrachement potentiellement renforcé encore, dans l'arène parlementaire, par la confrontation des intérêts qu'il représente à ceux que défendent les autres représentants. Bref, ce serait, au moins en partie, le fait même de la représentation qui d'ores et

---

1. Je reprends le terme à Denis Lacorne, *L'invention de la République. Le modèle américain*, Paris, Hachette-Pluriel, 1991, p. 134 sqq. Cet ouvrage reste irremplaçable pour sa reconstitution de ce qu'a été la genèse du modèle politique inventé par la révolution américaine.

déjà « républicaniserait » le pouvoir : parce qu'un gouvernement représentatif inclut dans sa définition institutionnelle la transition du bien privé vers ce bien public dont nous avons aperçu comment, depuis Aristote, la constitution républicaine fait prévaloir la recherche, on peut d'autant plus certainement définir la république par référence à l'idée de démocratie représentative. Non que cette référence, on va le voir, soit suffisante à cerner les contours d'un espace républicain : pour le moins joue-t-elle un rôle qu'il ne faut pas négliger – ce pourquoi précisément (et ici la prise de distance avec le rousseauisme s'amorce) les députés doivent bien être des représentants, et non point de simples commissaires porteurs d'un mandat impératif. A rebours de ce qu'avait conçue la version rousseauiste du républicanisme, c'est donc ici la marge de délibération ménagée aux représentants qui facilite, dans la confrontation des intérêts encore sectoriels (locaux) qu'ils représentent, la transition vers la recherche d'un bien commun à l'ensemble du peuple.

Une seconde mise au point conduit plus loin encore la reformulation de l'exigence démocratique par *Le Fédéraliste*. A la version qu'ils condamnent de l'idée démocratique, celle de la démocratie directe, Madison, Hamilton et Jay reconnaissent en effet au moins un mérite dont ils vont estimer qu'il correspond à une exigence impossible à contourner pour les Etats modernes : celle d'une reconnaissance de la pluralité des intérêts et des convictions. La démocratie directe, malgré tous les défauts qui conduisent à l'estimer impraticable pour les grands Etats, présente du moins l'avantage, de fait, d'exprimer la diversité : puisque, en démocratie (directe), « le peuple s'assemble et se gouverne lui-même », la diversité des intérêts et des façons d'en envisager la satisfaction se fait clairement valoir dans ce système, par ailleurs insensé, d'auto-gouvernement. La conséquence en est certes, explique Publius, que la démocratie est contrainte à l'échec, parce que le gouvernement démocratique sera nécessairement miné par les divisions, par les dissensions, par les oppositions d'intérêts – bref, par ce que l'option républicaine désignera traditionnellement par le terme de « faction » : du moins, si la république, comme démocratie représentative, doit pour sa part, on va voir comment, surmonter le risque de telles factions, elle ne doit pas pour autant faire table rase de ce dont les factions constituent l'expression pervertie, à savoir la diversité sociale. Ici commence à vrai dire, à travers cette réflexion sur les factions, ce qu'il y a sans doute de plus subtil dans l'élaboration par *Le Fédéraliste* d'une version « américaine » du républicanisme dont l'originalité tient précisément à son projet de combiner deux exigences : d'un côté, un fort souci de l'unité du corps social (contre sa dissolution par les factions) ; de l'autre, une volonté résolue de ménager toute sa place à la diversité de ce même corps (contre ce qu'il en serait de la version despotique d'un républicanisme qui, malgré les vertus du système représentatif, reconduirait le risque d'une tyrannie homogénéisante de la majorité). Il n'est pas exclu que ce soit à travers cette combinatoire que, surmontant les clivages sommaires entre libéralisme et républicanisme dont nous sommes coutumiers en France, la république américaine (du moins dans son idée originelle) ait le plus à nous apprendre, aujourd'hui encore, en matière de réflexion sur les conditions d'émergence d'un peuple libre, c'est-à-dire démocratique au sens moderne du terme.

COMBINER UNITÉ ET DIVERSITÉ

« Par faction, écrit Madison (10ᵉ papier), j'entends un certain nombre de citoyens, formant la majorité ou la minorité, unie et dirigée par un sentiment commun de passion ou d'intérêt, contraire au droit des autres citoyens, ou aux intérêts permanents et généraux de la communauté. » La hantise de telles « factions » n'a plus cessé de hanter la conscience républicaine, y compris et tout particulièrement en France, de la Terreur (où la guillotine a constitué la réponse des jacobins aux « factieux ») jusqu'à la version gaulliste ou gaullienne du républicanisme, où la dénonciation des factions a constamment accompagné, de façon certes moins désastreuse, la réaffirmation de l'unité de la république. Républicaine est en ce sens la conviction qu'il faut corriger la démocratie pour combattre l'esprit de faction que, comme démocratie directe, elle engendre nécessairement, puisque, quand le peuple se gouverne lui-même, le gouvernement coïncide avec l'agrégation des intérêts.

Dans le contexte de la naissance des Etats-Unis, cette crainte des factions était d'autant plus forte et légitime, on le conçoit sans peine, qu'elle ne se limitait pas aux rapports entre les individus, mais qu'elle se répétait et se démultipliait au plan de la relation entre les Etats devenus indépendants. L'enjeu le plus direct du débat était en effet, à l'époque, de savoir si les Etats-Unis devaient être, quant aux relations entre les Etats qui allaient composer le nouveau pays, une démocratie (directe), gouvernée par une sorte d'assemblée générale des Etats et de leurs gouvernements respectifs (position défendue par les antifédéralistes au nom de la liberté des Etats), ou s'il fallait mettre en place un véritable pouvoir dépassant la diversité des Etats : un pouvoir de type fédéral, donc, capable de représenter par lui-même la volonté de l'ensemble des Etats de l'Union. C'est cette seconde position, inscrite dans le projet de constitution, que les Pères fondateurs de la république américaine se sont chargés de défendre et de faire triompher, en utilisant pour cela à nouveau la distinction entre la démocratie (en l'occurrence, antifédéraliste) et la république (fédéraliste). Enjeu contextuel sur lequel je n'ai pas ici à insister davantage, mais qu'il serait passionnant de creuser, aussi bien pour éclairer certains des problèmes qui n'ont cessé d'agiter, jusqu'à aujourd'hui, ce qui est devenu le plus puissant Etat du monde, que pour éclairer nos propres problèmes actuels de construction européenne. En particulier, revisiter cette discussion américaine de 1787-1788 et nous remémorer les types d'argumentation et de contre-argumentation utilisés de part et d'autre pourrait aider la réflexion sur la constitution européenne à s'arracher à l'enlisement où elle est en voie de se perdre.

Laissant de côté ici une telle perspective, je reviens à la mise en cause de la démocratie (directe) comme mode de gouvernement où le conflit des intérêts menace par définition, sous la forme des factions, l'efficacité et la cohésion du système. Au nom même du principe démocratique (c'est-à-dire du principe de la souveraineté du peuple), il faudrait donc, pour écarter cette menace, corriger la « démocratie pure », puisque le gouvernement du peuple par le peuple risquerait d'entraîner, à travers la lutte des factions, la confiscation du pouvoir par la faction la plus puissante ou la plus habile. Si le peuple veut être un peuple véritablement libre, il lui faut donc, pour ne pas perdre la souveraineté qui lui revient, canaliser ou endiguer la turbulence démocratique : bref, corriger la démocratie comme mode de gouvernement (démocratie directe) pour sauver la démocratie comme conception du meilleur régime (défini par la souveraineté du peuple). C'est précisément en ce point de l'argumentation qu'entre en scène, je l'ai déjà souligné, l'idée républicaine, centrée certes sur une conception représentative de la démocratie, mais sur un mode tel qu'elle ne devrait pas impliquer de renoncer à ce qu'il y a malgré tout de politiquement fécond dans l'idée pure du gouvernement démocratique : donner droit à la diversité des intérêts et des convictions.

Si l'on ne corrigeait pas le gouvernement démocratique, cette fécondité potentielle dériverait en absurdité, parce que la démocratie directe dégénère en anarchie. Pour éviter cette dégénérescence, il ne faut toutefois pas non plus basculer dans l'excès inverse, qui consisterait à nier absolument cette diversité : dans ce cas en effet, à la place de l'anarchie, surgirait le despotisme, puisqu'il ne se trouverait plus aucun cran d'arrêt à la puissance d'un Etat se posant en négateur absolu de la diversité des intérêts. Entre l'anarchie et le despotisme, il convient donc de trouver un moyen terme, dont *Le Fédéraliste* va considérer qu'il est précisément fourni par un certain agencement des institutions de la démocratie représentative : un agencement où Publius voit, au-delà même des deux principes déjà mobilisés (souveraineté du peuple, représentation), l'achèvement du dispositif proprement républicain.

Reste donc à dégager avec précision, à travers l'identification de cet agencement, la contribution spécifique apportée par ce moment américain à la question, où se joue encore le débat actuel entre républicains et libéraux, de savoir comment gouverner un peuple libre. Contribution spécifique en même temps, cette fois, que profondément originale vis-à-vis des traditions de pensée disponibles dans la modernité : d'un côté en effet, la réflexion du *Fédéraliste* se développe, intellectuellement et politiquement, dans un contexte marqué par l'inspiration libérale issue de Locke (comme en témoignent les Déclarations des droits de l'homme de 1776) ; d'un autre côté, cette réflexion entend toutefois apporter à la tradition du libéralisme politique une sorte de correctif ou d'infléchissement, à travers une référence à l'option républicaine telle qu'elle avait été progressivement élaborée depuis Aristote, mais se trouve ici fortement remodelée précisément par son intégration à un cadre libéral.

Quelle est, dans ces conditions, la solution retenue par les Pères fondateurs ? Depuis Aristote, républicain est, nous l'avons vu, un gouvernement qui privilégie l'intérêt commun, donc l'exigence d'unité. Démocratique est un gouvernement susceptible de dérives, mais dont la part de vérité se situe dans la reconnaissance de la pluralité ou de la diversité, par opposition à l'exigence républicaine d'unité. Pour des raisons tenant au contexte de leur réflexion, les rédacteurs du *Fédéraliste* se sont convaincus qu'il fallait, afin de fonder un grand Etat moderne, combiner les deux orientations : plus précisément, il s'est agi à leurs yeux de greffer ou d'enter, si je puis dire, la branche de la république sur le tronc de la démocratie, telle que, depuis Locke, elle avait été conçue à partir du principe libéral d'une limitation du pouvoir de l'Etat par la considération des droits et libertés inaliénables des individus. C'est la formule même de cette greffe qui les a conduits à inventer le modèle d'une démocratie dont il nous faut admettre, même si nos tropismes nationaux s'y prêtent peu, qu'elle fut à la fois, dans sa définition, libérale et républicaine.

LA GREFFE RÉPUBLICAINE

La reconnaissance de la pluralité n'est en effet pas négociable : elle était imposée par l'ancrage de toute la tentative dans la tradition libérale du droit naturel moderne. Clair héritage d'une conception lockienne de l'Etat : il appartient avant tout au gouvernement d'un peuple d'hommes libres de protéger les libertés des individus et des groupes d'individus, donc aussi, dans la limite de leur coexistence, leurs intérêts particuliers.

Parallèlement cependant, selon Madison et ses coauteurs, un tel gouvernement ne saurait davantage négliger la prise en compte de l'exigence d'unité. Si cette exigence ne se trouvait pas d'une certaine façon satisfaite, dans un vaste Etat travaillé par la dynamique de l'individualisme (dont a procédé le libéralisme, mais qu'il a en même temps renforcée en survalorisant la liberté individuelle), nous ne parviendrions pas à réfréner les passions démocratiques et à contenir les luttes des factions. En conséquence, pour défendre à la fois le bien public et les droits individuels, tout en préservant le principe de la souveraineté populaire, c'est en vérité un dispositif double que la constitution, du moins telle que se la représentent ses défenseurs, met en place.

La première dimension du dispositif, nous l'avons déjà entrevue, consiste à organiser une république, c'est-à-dire, dans le langage des rédacteurs du *Fédéraliste*, une démocratie représentative : condition dont ce qu'elle a de nécessaire a déjà été suffisamment souligné, puisque le principe de représentation a pour effet principal d'« élargir l'esprit public ». Pour autant, cette condition nécessaire, qui a quelque chose à voir avec ce que nous appelons en France l'élitisme républicain, ne saurait être suffisante, dans la mesure où, malgré le rôle joué par la représentation, rien ne garantit vraiment que les représentants bénéficieront de lumières que le peuple n'aurait pas par lui-même : après tout, les intérêts sectoriels que les représentants sont chargés de faire valoir peuvent tout aussi bien ne pas se transcender, par leur affrontement dans l'arène parlementaire, mais donner lieu à des coalitions aussi instables qu'éloignées d'un véritable souci du bien commun. Ce pourquoi il faudra compléter le dispositif par une seconde dimension faisant que le principe de représentation porte vraiment ses effets.

Selon les Pères fondateurs, il faut en fait, pour rendre opératoires les deux principes républicains (souveraineté du peuple, représentation), élargir autant qu'il est possible le territoire que réunira la république. La forme de démocratie directe défendue par les antifédéralistes imposerait en fait, explique habilement Madison, des petits Etats, correspondant à l'idéal d'une communauté autonome d'intérêts. A l'encontre de cet idéal (qui, au demeurant, évoque plus ou moins le communautarisme contemporain), plus une démocratie représentative sera étendue, plus la variété d'intérêts qu'elle rassemblera empêchera

« de voir une majorité avoir un motif commun pour violer les droits des autres citoyens ». Ainsi, selon une perspective qui rappelle singulièrement ce que nous avions entrevu dans les intuitions de Machiavel sur la division du social, ce serait la profonde diversité des intérêts qui exclurait une coalition du type de celles qui, dans un petit Etat où l'homogénéité est plus grande, peuvent toujours se faire jour au détriment de certains.

Cette étape de l'argumentaire, où l'esprit républicain vient se greffer sur l'héritage libéral à la faveur de dispositions purement politiques, suffit-elle à emporter l'adhésion au modèle défendu par Publius ? Chacun, bien sûr, en jugera, mais c'est en tout cas le recours à ce raisonnement qui, en l'occurrence, servit à justifier la perspective de faire fonctionner l'option républicaine au plan fédéral, sous la forme d'une grande république fédérative dont le Président, à la fois puissant et faible (comme on le voit souvent dans l'actualité américaine), incarnerait précisément l'intégration des deux exigences à combiner : par sa puissance, il incarne l'exigence d'unité, qui prévient la dérive dans l'anarchie ; par sa faiblesse, il incarne la prise en compte de la diversité ou de la pluralité des intérêts, ainsi que celle des droits imprescriptibles qui s'y associent – ce qui évite la dérive dans le despotisme. Combinatoire dont la teneur reste résumée par la devise des Etats-Unis, telle que chacun la lit sur n'importe quelle pièce de un dollar : *E pluribus unum*, selon cet idéal qui définit le républicanisme des Pères fondateurs – consistant, à partir d'une pluralité d'individus et d'intérêts individuels (une pluralité inhérente à toute vie sociale et protégée au demeurant par les principes démocratiques du libéralisme), à réaliser l'unité politique nécessaire à la préservation de cette vie sociale comme espace de liberté. Ce pourquoi l'on peut donc bien estimer, ainsi que je l'annonçais au départ de cette analyse, qu'il s'est trouvé là une tentative spectaculaire pour réconcilier la pluralité inhérente à la démocratie libérale et l'unité dont l'idée républicaine exprime, depuis Aristote, le souci privilégié : une unité de la diversité qui, pour être conservée, supposait à la fois, selon les Pères fondateurs, la création d'une république largement plus étendue que les Etats qui la composaient (pour multiplier la diversité des intérêts) et la mise en place par la constitution d'un pouvoir fédéral assez fort pour faire tenir ensemble cette diversité.

UN RÉPUBLICANISME CRITIQUE

Il n'entre pas dans les objectifs de ce chapitre d'ouvrir la question de savoir ce qu'il est advenu de ce bel idéal dans l'histoire des Etats-Unis. Au demeurant serait-ce fort difficile à apprécier, tant a été complexe le devenir des deux partis, républicain et démocrate, qui ont en quelque façon tenté d'incarner chacun une des deux branches de la devise *E pluribus unum* : les démocrates ont en principe privilégié la protection et la défense de la pluralité, les républicains plutôt le souci de la conservation de l'Etat – avec néanmoins, au fil de plus de deux siècles d'histoire politique américaine, toutes les atténuations, nuances, confusions qui n'ont pas manqué de se produire entre les deux pôles. Du moins était-ce, à partir de la distinction initiale de deux rôles compris *a priori* dans la définition même des exigences fondatrices (défendre la pluralité, protéger l'unité), toute une distribution de l'imaginaire politique qui pouvait se mettre en place – une distribution très différente de celle qui s'est établie en France et en Europe autour du clivage droite/gauche : de ce fait, par exemple, s'il existe une « gauche américaine », elle s'exprime plutôt, quand elle s'incarne dans le camp démocrate, en faveur d'une défense des droits et des libertés qui sont les garants de la pluralité sociale – laquelle défense des droits et des libertés individuels n'entre pas prioritairement dans la tradition de la gauche française, du moins dans la version qui en a été si longtemps marquée par le marxisme. D'un autre côté toutefois, la défense des libertés individuelles et de la pluralité sociale peut se réclamer ouvertement, aux Etats-Unis, de l'héritage du libéralisme, qui est aussi, très souvent, revendiqué par le parti républicain sous la forme d'une sacralisation de la liberté d'entreprendre, lequel parti républicain, s'il fallait le resituer dans les clivages français, ferait ainsi, en repliant le libéralisme politique sur le libéralisme économique, figure de « droite ».

Mieux vaut donc sans doute ne pas chercher à faire correspondre directement à nos propres clivages cette distinction, présente à la racine du modèle américain, entre démocratisme et républicanisme : plus fécond risque d'être, pour l'archéologie très sélective du républicanisme que nous avons entreprise, de mesurer le renouvellement que les auteurs du *Fédéraliste* faisaient ainsi subir aux convictions républicaines.

UNE MISE ENTRE PARENTHÈSES DE LA VERTU

La fondation du régime américain, qui s'est certes effectuée par référence à des thématiques républicaines, est aussi inséparable d'une critique du républicanisme classique : tonalité fort particulière, que beaucoup d'histoires de la problématique républicaine ont tort de ne pas faire ressortir, en laissant penser de ce fait que, dans la trajectoire du républicanisme, la succession des étapes a été pour ainsi dire continue et linéaire.

Archéologie du républicanisme

Si l'on considère en effet les idéaux forgés par le républicanisme antérieur, ce sont à vrai dire plutôt les antifédéralistes qui défendaient les petites républiques de type classique, axées sur la participation directe des citoyens à la gestion des affaires publiques : de ce que ce modèle participatif pouvait avoir d'attrayant, ils tiraient argument contre le fédéralisme, au motif que la république, comme gouvernement s'exerçant directement dans le sens de l'intérêt commun, ne serait pas possible dans un grand pays. Parce qu'ils répondirent que la république peut néanmoins être conçue comme une démocratie représentative, les fédéralistes ont en réalité beaucoup brouillé les cartes, en soutenant qu'il s'agissait là d'une forme politique supérieure aux démocraties du passé, aux petites républiques de l'Antiquité sans cesse turbulentes et soumises aux passions pour n'avoir pas exploité suffisamment le principe de la représentation.

Plus généralement, la nouveauté du républicanisme américain consiste à avoir inventé, moins dans son histoire, certes, que dans son principe, une alternative à une version plus classique du républicanisme centrée plus exclusivement sur l'idée d'unité et d'homogénéité. Cette version, avec laquelle *Le Fédéraliste* proposait de rompre, avait été mise en avant depuis les Anciens à travers l'insistance sur le thème de l'intérêt commun et de l'abstraction des intérêts particuliers. Même si, chez Aristote, le souci de la diversité, on le voit bien dans sa critique de la cité platonicienne, n'est pas absent, du moins est-ce cette accentuation forte de l'unité qui a caractérisé tout un versant du républicanisme : non point certes celui qu'incarne Machiavel, mais celui qui se trouve représenté au mieux chez Rousseau et dans la frappe durablement jacobine qu'allait recevoir en France, à partir de la Révolution, la référence républicaine. Par comparaison avec ce républicanisme français plus proche du républicanisme ancien, la version américaine de l'idée républicaine, dans sa formulation originelle, correspondait à une accentuation nouvelle : alors que la République française n'a cessé de se concevoir comme « une et indivisible », la République américaine s'est voulue pour sa part (je reprends la formule à Philippe Raynaud) « une et indéfiniment divisible [1] ». C'est ce profond déplacement dans l'idée républicaine qui s'exprime à travers la façon dont, à l'inverse du postulat antifédéraliste selon lequel une communauté restreinte et homogène serait la condition d'une république non déviante, les fédéralistes ont entrepris d'affirmer avec audace la compatibilité possible d'un ordre politique étendu, diversifié, hétérogène, avec l'exigence républicaine du respect de l'intérêt général.

---

1. Ph. Raynaud, « La démocratie saisie par le droit », *Le Débat*, novembre-décembre 1995.

Du même coup, dans la logique de ce renouvellement, on peut se demander si l'apport de
Madison et des « républicains » américains de
première génération n'a pas consisté surtout à
déminer ce qu'il pouvait y avoir de redoutable,
au sein du républicanisme antérieur, dans la thématique de la vertu. Tant que l'on considère en
effet que le gouvernement de l'intérêt commun
(ce que les républicains français du XIXᵉ siècle
appelleront le « gouvernement de la loi ») suppose l'homogénéisation des consciences (précisément autour de l'intérêt commun et du souci de la
loi), la moralisation des citoyens, donc l'inculcation de la vertu, devient un moyen de gouvernement (ou encore la sélection par la vertu,
consistant à poser qu'un bon citoyen est un
citoyen vertueux, voire, selon une perspective
tragiquement cultivée en France par la Terreur,
que, pour être citoyen, il faut être vertueux). En
revanche, si l'unité du corps social est compatible avec la pluralité et même, dans l'optique
défendue par *Le Fédéraliste*, si l'on tient que
cette unité est d'autant plus solide que la pluralité
est plus grande, la thématique de la vertu
s'estompe. Du moins le pourrait-elle et même,
par fidélité aux choix de la fin du XVIIIᵉ siècle, le
devrait-elle : que cela n'ait, de fait, pas été le cas
dans l'histoire des Etats-Unis, ni hier, ni *a fortiori*
aujourd'hui dans un contexte fortement remodelé
par la vague néo-conservatrice, ne saurait de

toute évidence valoir argument contre le concept renouvelé du républicanisme que les Pères fondateurs avaient forgé. Ce que Publius entrevit, ce fut au fond l'espoir que, sous la pression de la modernité et notamment, en l'occurrence, de la modernité économique, le « commerce » (notion sur laquelle je vais revenir) et par conséquent l'intérêt pourraient dispenser de la vertu, en créant entre les individus et les groupes d'individus des solidarités d'autant plus fortes que les intérêts seraient plus divisés et auraient ainsi d'autant plus besoin les uns des autres. Espoir excessif, voire insensé ? C'est à la teneur même de cet espoir, et à ce que le choix de miser sur lui permettrait d'esquiver, qu'il convient de prêter attention si nous entendons retirer de cette évocation de la discussion américaine de quoi nous orienter de façon plus réfléchie dans nos propres débats sur les divers infléchissements possibles, aujourd'hui, de l'idée démocratique.

*

Donnons-nous, pour rendre l'interrogation plus aisée, une collectivité délimitée, comme l'est l'une de celles auxquelles nous appartenons, par exemple dans notre commune, voire dans notre quartier, ou encore dans le groupe professionnel dont nous faisons partie : de quels moyens disposeraient ceux qui entendraient, pour mieux étayer la cohésion de ce collectif et lui faire acquérir une conscience plus claire de lui-même, nous rendre solidaires et parvenir à ce que nous nous percevions comme une entité « une » ?

La tentation peut être forte de considérer que le meilleur moyen d'y parvenir consisterait à nous faire oublier, au moins dans l'espace public, nos différences (d'intérêts, de culture, de croyances, de conditions, de genres ou de mœurs) et, pour ce faire, de nous homogénéiser, de façonner les consciences de telle façon que nous soyons, au sens propre, « tous pour un ». C'est sur cette voie que nous rencontrons le modèle classiquement républicain de la vertu, qui implique au pire, entre autres conséquences, la mise au pilori du non-vertueux ou l'exclusion du « différent », au mieux la relégation de tout ce qui nous distingue dans la seule sphère privée. Parce que ce modèle induit peu ou prou l'uniformisation de la collectivité à laquelle il s'applique, songer à d'autres perspectives ne paraît pas par soi-même constituer un crime ni contre l'esprit, ni contre la liberté.

Ce que le débat sur la constitution américaine permet d'entrevoir, c'est précisément une autre perspective pour laquelle l'intérêt de la communauté pourrait aussi se trouver promu à partir d'intérêts divergents, voire conflictuels, à cette seule condition qu'il s'agisse d'intérêts bien compris. La conviction qui anime l'adhésion à ce second modèle, qu'on dira classiquement libéral au même sens où le premier a été désigné comme classiquement républicain, réside effectivement dans un espoir, que nous pouvons cerner, par distinction d'avec le premier modèle, de façon un peu plus précise : il serait (tel est l'espoir inscrit au cœur du libéralisme politique) dans la logique de l'égoïsme simplement intelligent d'apercevoir, par intérêt bien compris, qu'il a intérêt à s'inscrire dans une logique d'échange équitable dont le modèle le plus transparent est le commerce entendu au sens étroit du terme, mais qui peut s'entendre en un sens plus large et plus diversifié que celui de l'échange de marchandises – par exemple en incluant la reconnaissance réciproque de libertés et de droits garantissant ces libertés.

L'apport du *Fédéraliste* à la théorie républicaine pourrait bien avoir résidé, en ce sens large du « commerce », dans l'éclipse qu'il permettait de la thématique de la vertu et dans la place qu'il ménageait au contraire au conflit (donc au pluralisme) et au commerce ainsi compris. Nul ne saurait certes être aveugle aux dérives possibles de la perspective exprimée par une telle notion du commerce : John Pocock, que nous avons déjà rencontré à propos de Machiavel, mais qui est aussi l'un des plus importants théoriciens contemporains du néo-républicanisme, a consacré, de ce point de vue, tout un ouvrage d'une grande richesse à soutenir que le paradigme républicain, précisément parce qu'il place au centre de sa théorie du gouvernement et de la société la notion de vertu civique, se définit par une rupture avec les valeurs de l'individualisme commerçant, identifié à un principe de corruption [1]. Reste qu'une telle haine du « commerce » fournit souvent, aujourd'hui, aux critiques éculées et peu responsables de l'économie de marché une manière de se survivre à elles-mêmes après la fin du type d'anticapitalisme qu'avait nourri le marxisme. En ce sens, opposer un « humanisme civique » axé sur la définition de l'humanité en termes d'attachement au bien commun à un « humanisme commercial » centré sur une conception de la dignité humaine en termes de libertés d'agir s'exerçant dans un « univers de transactions », c'est courir le risque de nourrir une forme à peine renouvelée d'un geste fort ancien : celui de l'antimodernisme politique, avec toutes les ambiguïtés qui n'ont cessé de l'accompagner. Ce pourquoi il pourrait être précieux de ne pas exclure purement et simplement du débat sur les modalités de gouvernement d'un peuple libre l'autre branche de l'alternative entre républicanisme et libéralisme : celle dans la logique de laquelle c'est davantage l'intérêt bien compris que la vertu civique qui constitue le res-

---

1. J.F.A. Pocock, V*ertu, commerce et histoire. Essai sur la pensée et l'histoire politique du* XVIIIe *siècle* (1985), trad. par H. Aji, Paris, PUF, 1998.

sort de l'unité susceptible d'intégrer la pluralité des individus et des groupes sociaux. D'autant que, dans la façon dont cette autre manière de gouverner un peuple libre avait été conçue par les auteurs du *Fédéraliste*, chacun aperçoit sans peine comment, par rapport à notre débat actuel, elle esquisse la voie d'une conciliation possible entre libéralisme et républicanisme – si je puis dire : la voie d'un libéralisme républicain ou d'un républicanisme libéral. Au moins s'est-il trouvé un moment, dans l'histoire de la référence à l'idée de république, où le républicanisme, à travers l'attention qu'il portait à la logique de l'intérêt bien compris, parlait moins le langage de l'éthique que celui de l'intelligence. Un langage qu'il pourrait être fécond de parler à nouveau, dans le contexte transformé qui est le nôtre, à la fois pour échapper aux apories du libéralisme – notamment à celles, déjà soulignées par Tocqueville, qui tournent autour de la dérive conduisant de l'individualisme démocratique vers un égoïsme aveugle, fermé aux conditions de la coexistence des libertés – et pour éviter la perspective d'un républicanisme faisant dangereusement de la vertu un principe de gouvernement.

DEUXIÈME PARTIE

Débats

Sous la forme que lui avait donnée *Le Fédéraliste*, la thématique républicaine n'opposait pas brutalement à la logique libérale de l'intérêt individuel les exigences d'une régénération par la vertu civique, mais – moment privilégié où cette tradition de pensée et d'action parlait le langage de l'intelligence plutôt que celui de l'éthique – concevait la promotion du bien commun comme compatible avec la diversité des intérêts en conflit. Par où pouvait se dessiner une tout autre problématique de l'éducation, axée non sur l'objectif de rendre les citoyens vertueux, mais sur celui de les rendre plus « éclairés » : bref, une problématique qui, proche de l'esprit des Lumières, conduirait à réinterroger les conditions de possibilité d'une « instruction publique » au sens propre de cette noble expression, pour laquelle c'est en instruisant les individus, en développant en eux les lumières de la raison et du savoir que, sans éradiquer la passion qu'ils ont de leurs intérêts particuliers, on parvient à rendre cette passion moins aveugle, dès lors que le souci de soi comprend mieux ce qui lui bénéficie le plus, aux exigences de la coexistence avec tous les autres. Sous ce rapport, à travers la minorisation de la problématique de la vertu civique, s'était amorcée, dans ce débat sur la constitution américaine et du côté de ses défenseurs, la perspective de concevoir comme républicaine, non pas frontalement une alternative à l'individualisme libéral, mais une sorte de correctif, ou mieux peut-être une sorte de correction de trajectoire apportée au libéralisme moderne.

C'est cette perspective que je voudrais m'employer à creuser, dans cette seconde partie, en interrogeant les divers types de représentations possibles des relations entre libéralisme politique et républicanisme. Le premier chapitre examinera, notamment sur l'exemple des thèses développées aujourd'hui par Philip Pettit, comment, à l'écart de ce qui s'était pourtant esquissé dans *Le Fédéraliste*, le républicanisme a pu devenir ce qu'il tend le plus souvent à être aujourd'hui, c'est-à-dire, davantage pour le pire que pour le meilleur, un antilibéralisme politique. A partir de la mise en évidence des difficultés auxquelles expose cette gestion antilibérale de l'option républicaine, le deuxième chapitre creusera au contraire, en reprenant l'interrogation à partir de Tocqueville, la perspective selon laquelle le républicanisme constituerait bien plutôt une autocorrection du libéralisme : on s'efforcera alors de faire apparaître qu'une telle perspective correspond encore à divers choix possibles, selon la nature du correctif envisagé. Le dernier chapitre tentera enfin de mettre en évidence, en confrontant les apports symétriques de Rawls au libéralisme et de Habermas au républicanisme, comment c'est en concevant en termes exclusivement politiques le correctif républicain que le républicanisme fournit aujourd'hui au libéralisme ses meilleures chances de contribuer à cerner les conditions sous lesquelles le principe de la souveraineté du peuple ouvre réellement sur l'émergence d'un peuple libre.

Un républicanisme antilibéral

J'ai souhaité consacrer ce chapitre à celui des philosophes « républicanistes » contemporains dont la tentative apparaît la moins exposée aux difficultés que nous avons déjà vu poindre dans notre premier examen du modèle républicain : celles qui sont induites par la place accordée à la vertu dans la conception de ce que devrait être un peuple libre. A la différence de John Pocock, qui n'hésite pas à confier à l'Etat le soin d'inculquer aux individus la conception de la vie bonne (celle où l'exercice actif de la citoyenneté l'emporte sur tous les autres buts de vie qu'un individu peut se proposer) sans laquelle à ses yeux un peuple de citoyens ne saurait être qu'un peuple de marchands, le philosophe australien Philip Pettit apparaît au premier abord défendre un républicanisme moins périlleux. Parce qu'il ne fait pas directement référence aux vertus civiques, il tente en effet de ne pas réaménager le principe libéral de la neutralité de l'Etat à l'égard des diverses conceptions possibles du bien. Ce pourquoi s'il est une figure du républicanisme contemporain avec laquelle le libéralisme politique se doit aujourd'hui de débattre, c'est sans nul doute en priorité celle qu'incarne Philip Pettit : pour autant, je vais m'en expliquer, ce débat me semble conduire à reconnaître ultimement moins de convergences qu'un franc désaccord – en particulier sur la conception même de la liberté [1]. Plus précisément : Pettit entend, dans son ouvrage sur le républicanisme, dépasser le célèbre dédoublement thématisé par Isaiah Berlin, l'un des plus éminents représentants de la tradition libérale, entre l'idée de liberté négative et celle de liberté positive. Pour faire apparaître ce qui se trouve ainsi au cœur du débat, je rappellerai donc succinctement le principe de ce dédoublement cher aux libéraux, puis je soulignerai de quelle façon le républicanisme de Pettit entend le dépasser, avant de terminer par l'indication des raisons pour lesquelles je ne suis pas convaincu, il s'en faut de

---

1. Le débat que je vais mener ici par écrit, du point de vue qui est le mien, a eu lieu aussi oralement à la Sorbonne, lors d'une rencontre avec Philip Pettit organisée conjointement dans le cadre du Collège de philosophie et dans celui de mon séminaire de philosophie politique, le 20 mars 2004 (« Actualités du républicanisme »). Je reprends dans ce chapitre quelques éléments de ce qu'avait été alors mon intervention.

beaucoup, par cette tentative de dépassement : du même coup, je serai porté à expliciter pourquoi je ne suis pas davantage convaincu par le statut qu'attribue au républicanisme celui qui est sans doute aujourd'hui son porte-parole le moins dogmatique, donc le plus estimable.

LIBERTÉ NÉGATIVE, LIBERTÉ POSITIVE ?

Il est à mettre au crédit du philosophie britannique Isaiah Berlin d'avoir, dans un article demeuré célèbre, cerné, à travers la distinction de la liberté négative et de la liberté positive, la façon dont, depuis Locke, les libéraux se représentent la liberté [1]. Je n'en retiendrai ici que l'essentiel pour mon propos : ce qui permet, à la faveur du dédoublement ainsi repéré dans la notion de la liberté politique, de construire deux conceptions bien distinctes, l'une libérale, l'autre républicaine, de ce que c'est qu'un peuple libre.

Dans l'optique libérale, qui correspond selon Berlin à la valorisation de la liberté comme liberté négative, la question de savoir si nous sommes libres, comme individus ou comme peuple, se

---

1. I. Berlin, « Deux conceptions de la liberté », in *Eloge de la liberté* (1969), Paris, Calmann-Lévy, 1988, p. 167-218. Sur le même thème, Raymond Aron a lui aussi écrit des pages très importantes, notamment dans son *Essai sur les libertés*, Paris, Gallimard, 1965.

joue selon l'étendue du pouvoir auquel sont soumis les membres d'une société : jusqu'où pouvons-nous, dans une société où la coexistence est assurée par un gouvernement légalement établi, être gouvernés tout en demeurant libres ? Interrogation qui équivaut à se demander quelles sphères d'action sans entraves (en ce sens : libres) doivent nous rester ouvertes pour que le fait d'être gouvernés n'annule pas la conscience et l'effectivité de notre liberté.

Selon la conception libérale de la liberté politique comme liberté négative ou, pour utiliser l'expression de Raymond Aron, comme « liberté-non-empêchement », la liberté d'un citoyen se mesurerait au champ d'action, plus ou moins vaste, où il lui est garanti (par la reconnaissance de ses droits) de ne pas se trouver entravé par l'intervention de l'Etat ou par les initiatives de ses concitoyens. Ainsi entendue, c'est-à-dire de façon simplement négative (comme « non-empêchement »), la référence à la liberté politique intervient dans chaque cas où je puis indiquer « de quoi je suis maître » dans mon existence sociale.

Selon cette acception (qui communique directement avec la conception libérale d'un Etat limitant son pouvoir par le respect des libertés des individus), ces derniers sont d'autant plus libres que sont nombreuses les dimensions de leur existence qui ne dépendent que de leur seul choix et de leur seule volonté : conformément à la théorie libérale des limites de l'Etat, il doit être interdit à quiconque (y compris l'Etat) le tenterait d'interdire à un quelconque citoyen de pratiquer en toute « indépendance » ses choix de vie. « Indépendance » – on ne saurait assez insister sur ce terme qui, pour les libéraux, désigne une valeur, voire la valeur politique suprême : de fait comprennent-ils primordialement la liberté en termes d'indépendance de l'individu par rapport à tout empiètement sur la sphère d'activité qui est conforme à ses droits fondamentaux – que l'empiétement soit le fait du gouvernement, d'autres individus ou encore de groupes. Par l'affirmation d'une telle conception de la liberté, il s'agissait originellement, on doit se garder de l'oublier, de libérer l'individu de son assujettissement aux corporations ou encore aux ordres de l'Ancien Régime : perspective que l'on pourrait réactiver et actualiser aujourd'hui en songeant à d'autres formes de dépendance, donc aussi d'indépendance, par rapport à d'autres groupes, par exemple des groupes culturels susceptibles de peser par leurs traditions sur les choix des individus qui en sont les membres.

La détermination « négative » d'une telle figure de la liberté peut dans ces conditions être clairement explicitée, pour en contraster le sens avec celui de l'autre figure de la liberté dont Berlin la distingue : négative est la liberté ainsi comprise dans l'exacte mesure où elle ne consiste aucunement, pour l'individu, à faire ceci ou cela, c'est-à-dire à mener son existence plutôt ainsi qu'autrement. Sa liberté n'est en rien définie positivement par un type d'action, mais bel et bien de façon purement négative, par l'interdiction d'interdire, c'est-à-dire par l'exclusion de l'interférence intentionnelle d'autrui (individuel ou collectif) dans ma sphère d'action. Par voie de conséquence, une fois cette exclusion prononcée, je peux faire, selon cette façon de se représenter la liberté, exactement ce que je veux, et le contenu de ma liberté, puisqu'il est défini négativement (ou par exclusion), reste ainsi entièrement indéterminé. Où l'on retrouve un thème devenu banal, mais à un niveau de conceptualisation que nous oublions souvent quand nous nous y référons : celui selon lequel « ma liberté commence là où cesse celle d'autrui », et inversement. Si l'on préfère, dans les termes de l'article 4 de la Déclaration française des droits de l'homme de 1789 : « la liberté consiste à pouvoir faire tout ce qui ne nuit pas à autrui ». Ainsi, précisait encore cette Déclaration d'esprit libéral (plus lockéen que rousseauiste), « l'exercice des droits naturels de chaque homme n'a de bornes que celles qui assurent aux autres membres de la société la jouissance de ces mêmes droits » : de telles bornes (donc les limites de la liberté) « ne peuvent être déterminées que par la loi », dans le simple souci de la coexistence des libertés ainsi délimitées, contrairement à ce qu'il en serait de limitations n'obéissant pas à ce principe de compatibilité ou de compossibilité, et donc arbitraires.

Par opposition à cette première conception de la liberté, inséparable de la théorie libérale des limites de l'Etat, l'autre conception envisagée par Berlin se soucie moins de l'étendue du pouvoir reconnu à chacun que de l'origine du pouvoir d'agir qui est le sien. Pour cette conception, celle de la liberté comme liberté positive, la question n'est plus tant de savoir dans quels domaines de l'existence nous sommes souverains, mais plutôt : qui est, dans tel ou tel secteur, le souverain, ou le maître ? Est-ce nous-mêmes, ou est-ce autrui ? Dans cette perspective, les citoyens d'un Etat sont libres s'ils gouvernent eux-mêmes, directement ou, le plus souvent, indirectement, leurs existences : l'indépendance ne suffit plus à garantir la liberté, mais il y faut encore, au sens propre du terme, l'autonomie – un terme qui va, là aussi, désigner une valeur, située cette fois, non plus dans la latitude d'action, mais dans le fait d'être à soi-même l'origine des lois que l'on reconnaît. Selon cette autre logique, la liberté d'un peuple réside ultimement dans le contrôle collectif que ses membres sont à même d'exercer en commun sur leurs existences : il ne saurait donc plus suffire, pour être pleinement libre, de vouloir, dès lors que la chose ne nous est pas interdite, ceci ou cela, indifféremment, mais il est des fins ou des

157

objectifs que, si nous souhaitons nous penser comme authentiquement libres, nous devons poursuivre plutôt que d'autres – en sorte que la liberté peut se définir cette fois de façon positive, précisément par le choix de nous consacrer à la poursuite de ces fins ou de ces objectifs. Clairement dit : certaines fins sont supposées mieux réaliser en nous, si nous nous y consacrons, l'humanité que la simple satisfaction de nos désirs les plus immédiats. Dans cette seconde optique, être libre ne consiste pas seulement à s'arracher à des entraves (en vue de n'importe quel objectif), mais requiert de poursuivre et d'atteindre la réalisation de certaines fins expressément (donc positivement) désignées comme celles à travers lesquelles notre humanité s'accomplit.

Choisir la liberté négative ?

Il serait inutile d'indiquer longuement que, selon Berlin, ces deux conceptions de la liberté mettent en jeu des valeurs profondément antagonistes : c'est même là, pour lui, l'exemple parfait de ces questions les plus profondes, dans le registre des valeurs, dont il estime qu'il est impossible de leur donner une réponse unique, exclusive d'autres réponses possibles et surmontant vraiment le conflit des positions en présence. Bref, c'est là, ultimement, affaire de choix : encore un choix doit-il pouvoir être au clair sur les raisons dont il procède, et si Berlin conclut son analyse des figures de la liberté en optant sans détour pour la conception négative de la liberté, ce n'est pas sans s'essayer à désigner les raisons du modèle en faveur duquel, ainsi, il s'engage.

En réduisant ce qui assure qu'un peuple est libre au fait de savoir si les choix de ce peuple et des citoyens qui le composent peuvent être suffisamment indépendants du pouvoir qui les gouverne, le libéralisme politique s'expose certes à négliger la question même de la source ou de l'origine du pouvoir : s'il suffit en effet, pour qu'un peuple soit libre, que ses membres disposent d'une sphère d'indépendance par rapport au pouvoir, pourquoi s'attacher au fond à déterminer d'où procède ce pouvoir et ce qui le légitime à gouverner ? Ainsi l'option libérale pourrait-elle en venir, non sans paradoxe (puisque le libéralisme correspond à une version de l'idée démocratique), à ne pas prendre en considération le surcroît de dignité que les citoyens peuvent obtenir dans une communauté politique où, loin de se voir imposer les lois et les normes auxquelles ils se soumettent, ils participent, le plus souvent par l'intermédiaire de représentants, à leur élaboration. Ce surcroît de dignité possède pourtant une valeur irréductible, dont l'idéal de la liberté positive fournit en revanche les moyens de prendre acte : il peut en effet inscrire la participation à la vie publique, l'exercice actif de la citoyenneté, bref la pratique des libertés civiques parmi les fins à travers lesquelles nous accomplirions vraiment notre liberté d'êtres humains et qu'il faudrait donc privilégier par rapport à la plupart des autres objectifs. Au reste le libéralisme politique, tel que Isaiah Berlin avait essayé, avant Rawls, d'en reformuler la cohérence, ne saurait sans se contredire lui-même récuser entièrement l'importance de cette liberté positive qu'est la liberté-participation, puisque si tel était le cas, seule la liberté négative constituerait réellement à ses yeux une valeur et le conflit entre les conceptions de la liberté ne serait donc plus insurmontable. Or, j'y ai insisté, telle n'est justement pas la conviction d'un libéral comme Berlin, qui ne saurait, à ce propos comme à propos d'autres choix de valeurs, éviter de reconnaître le pluralisme des systèmes de valeurs comme irréductible. Simplement, un libéral authentique, attaché au pluralisme des systèmes normatifs, doit considérer que la liberté négative possède elle aussi sa valeur : des deux valeurs ainsi confrontées, il ne saurait donc s'agir d'en écarter intégralement une pour promouvoir unilatéralement l'autre. Il n'en demeure pas moins nécessaire de hiérarchiser l'un par rapport à l'autre ces deux types de valeurs à travers lesquels s'expriment deux conceptions de la liberté politique. Ce pourquoi, malgré le choix clair de Berlin, pour des raisons que je vais indiquer, en faveur d'un dispositif politique axé sur la liberté négative, il n'était pas incompatible avec son libéralisme que certains de ses successeurs, à commencer par Rawls, pussent envisager de reconnaître aussi une place, un rôle et une fonction, dans la communauté démocratique, à la liberté positive. Où l'on voit se profiler, non seulement l'intérêt d'un libéral comme Rawls, souligné dans l'avant-propos de cet essai, pour la question des vertus civiques, mais surtout la perspective qu'un libéralisme politique particulièrement soucieux de sa propre cohérence pût accorder une part de vérité à certaines des exigences que le républicanisme a cru devoir privilégier. J'insiste : une part de vérité, mais une part seulement, dans la mesure où être politiquement libéral, c'est bel et bien considérer, comme le fit justement Berlin, qu'il se trouve d'incontournables raisons d'opter au premier chef pour la liberté négative et d'en placer la garantie avant toute autre considération, y compris celle de la liberté-participation.

Pourquoi hiérarchiser ainsi, sans éliminer l'une au profit exclusif de l'autre, les deux figures de la liberté ? La conviction de Berlin aura été que les adeptes de la liberté positive se trouvent contraints de définir, au-delà ou au-dessus de la liberté individuelle et des projets individuels de vie, une valeur ou une série de valeurs érigées en un Absolu, presque une idée du Bien caractérisée par un contenu assigné à ce Bien (en général : la participation à la vie publique). En conséquence, au nom de la valeur supérieure attribuée à ce Bien et aux actions qui le visent et qui seules nous constitueraient comme des êtres libres, les pratiques politiques axées sur la valorisation de la liberté positive vont soumettre les libertés individuelles (négatives) à bien d'autres limitations que celles qui sont simplement induites, en démocratie libérale, par la prise en compte de la coexistence des êtres libres. Ainsi y aura-t-il, en démocratie républicaine, des fins ou des buts que tout sujet humain authentique, assez vertueux (civiquement) pour ne pas s'abandonner à l'immédiateté de ses désirs les plus spontanés, devra viser prioritairement : prendre sa part de la réalisation du bien commun et des charges que cette réalisation induit. Par là risque fort de s'introduire, en république, la conviction que, les désirs individuels ne constituant pas la forme la plus élaborée de la liberté, ils doivent être subordonnés à l'atteinte de ce Bien commun, par laquelle seulement chacun accomplit son essence. Dans cette optique, estime Berlin, puisque la réalisation de ce Bien commun n'est pas équivalente au déploiement des libertés inviduelles, il pourra être défini comme extérieur à ces libertés mêmes, par exemple en termes de justice, de sagesse, de rationalité, bref, selon un contenu déterminé que fixera un pouvoir mieux à même de le discerner que les individus eux-mêmes. C'en sera alors fini de ce pluralisme des conceptions du Bien dont le respect constitue pourtant, aux yeux des défenseurs libéraux de la liberté négative, une condition sans laquelle l'existence d'un peuple libre serait exclue : si ce pluralisme s'efface au profit d'une conception unique du Bien, que deviennent en effet des libertés aussi fondamentales que la liberté d'opinion, la liberté de pratiquer le culte de son choix, la liberté de s'associer à d'autres pour défendre tels ou tels objectifs ? Que Berlin suggère qu'à valoriser la liberté positive plutôt que la liberté négative on encourt le risque de contribuer à engendrer bien des despotismes n'a dans ces conditions rien d'étonnant. Pour me borner ici à l'essentiel : si cet idéal de la liberté positive ne se trouvait pondéré par la reconnaissance que la liberté négative constitue une valeur encore supérieure et non négociable, les citoyens d'un peuple se croyant libre en viendraient à se soumettre à l'obligation de poursuivre des fins que leurs libertés individuelles n'auraient certes pas toujours choisies, mais que leur moi le plus profond (le sujet autonome en eux) serait supposé devoir choisir, au nom du Bien commun et en suivant ceux qui, grâce au prétendu savoir lumineux qu'ils en détiendraient, s'arrogent le droit d'éclairer le peuple.

Quoi que l'on choisisse de penser de la manière dont Isaiah Berlin a pour sa propre part exploité cette distinction entre liberté positive et liberté négative, du moins doit-on lui reconnaître le mérite d'avoir situé fortement ce qui constitue sans doute le principal point de clivage entre libéraux et républicains. D'une façon générale, dans l'histoire de la modernité politique, les républicains se sont en effet distingués des libéraux en ce qu'ils ont privilégié les libertés positives des citoyens qui participent à la pratique politique plutôt que leurs libertés négatives conçues comme des crans d'arrêt contre les intrusions d'une domination politique dans les diverses sphères de leur existence. En vertu de quoi, dans la perspective républicaine, l'objectif principal de l'Etat n'est pas tant de protéger le droit des citoyens aux mêmes libertés fondamentales que de faire en sorte que les citoyens s'engagent dans un processus, auquel ils acceptent librement de participer (en situant même leur liberté la plus précieuse dans cette participation), d'élaboration et de réalisation de fins correspondant au bien commun.

Cette façon de présenter la position républicaine en général semblerait pourtant, au premier abord, devoir être nuancée par la prise en compte de la tentative particulière menée, parmi les républicanistes contemporains, par un penseur comme Philip Pettit pour proposer une gestion apparemment renouvelée de la distinction entre liberté négative et liberté positive. Toute la question est cependant de savoir si la gestion proposée par Pettit perturbe vraiment, de façon convaincante, la représentation que l'on vient de rappeler du dédoublement induit entre libéralisme et républicanisme par la conception de ce qui fait la liberté, négative ou positive, d'un peuple libre. Rien, je le dis d'emblée, ne me paraît moins certain, et c'est à mes yeux tout l'intérêt d'un examen critique de la démarche de Pettit que de permettre d'étayer ce doute.

La liberté comme non-domination ?

L'arrivée récente sur le terrain français de l'ouvrage consacré par Philip Pettit au républicanisme [1] n'a pas peu contribué, dans l'espace de la philosophie politique, à brouiller encore, si besoin était, les conditions du débat entre libéraux et républicains. Raison supplémentaire, pour résister à ce brouillage malencontreux, de procéder, à l'égard de ce qu'a produit, sans doute involontairement, cette opération, à une mise au point sans concession.

Considérée à partir de son principe, la démarche de Pettit consiste à soutenir qu'à la différence de la conception de la liberté positive

---

1. Ph. Pettit, *Républicanisme. Une théorie de la liberté et du gouvernement* (1997), trad. par P. Savidan et J.-F. Spitz, Paris, Gallimard, 2004.

décrite par Berlin, la conception proprement républicaine de la liberté n'impliquerait aucunement, par elle-même, une conception non pluraliste d'un quelconque Bien déterminé dans son contenu. Ce que signiferait en fait l'option républicaine, ce serait bien plutôt que la liberté consiste dans la « non-domination » ou, si l'on préfère, dans la non-hétéronomie, dans la non-soumission des citoyens à un pouvoir politique échappant à leur contrôle. Un peuple libre serait ainsi, avant tout, un peuple non dominé. De là procéderait, par voie de conséquence et pour exprimer positivement l'idée de la non-domination, l'insistance proprement républicaine, que Pettit reprend logiquement à son compte, sur le thème des droits-participations (au pouvoir) et sur l'exercice de la citoyenneté. Mesurons en premier lieu la portée stratégique de cette précision.

D'un côté, explicitée ainsi en termes de non-domination (c'est-à-dire comme participation au pouvoir), la liberté républicaine continue bien de se distinguer de la liberté libérale. Conçue (de façon libérale) comme indépendance, la liberté ne présuppose guère en effet que la non-interférence des libertés individuelles, auquel cas, pour concevoir ici un espace de liberté, nul besoin ne s'affirme de faire spécialement référence à des pratiques participatives. De fait, comme le suggérait Berlin, la conception négative de la liberté ne contraint pas directement à s'attacher à la question de la source du pouvoir, ni non plus par conséquent à celle de savoir comment le peuple peut contrôler ce pouvoir : l'orthodoxie libérale pouvait se permettre de faire l'économie de ces interrogations dès lors qu'elle entendait par un « peuple libre » celui dont les membres jouissent, dans l'exercice de leurs libertés fondamentales, d'une indépendance suffisante par rapport à ce pouvoir. La question du contrôle démocratique prend au contraire toute son importance dans une optique pour laquelle la liberté d'un peuple et de ses membres réclamerait l'absence de toute espèce de domination. Objectif que l'on peut certes trouver exorbitant, dans la mesure où récuser toute forme de domination risque fort de conduire, comme l'a justement fait remarquer Alain Boyer [1], à récuser toute forme de relation de pouvoir : perspective quasiment « révolutionnaire », malaisément compatible avec la conviction raisonnable selon laquelle la liberté d'un peuple libre ne saurait consister en ce qu'il pût être un peuple sans gouvernement, mais bien davantage dans la recherche d'un mode de gouvernement ou, comme l'on préfère le dire désormais, d'un mode de gouvernance compatible avec le respect des libertés et des droits qui expriment ces libertés.

D'un autre côté et quoi que l'on pense de la question de savoir si le refus de la tyrannie passe

---

1. A. Boyer, « Ne pas avoir de maître », *Commentaire*, n° 108, hiver 2004-2005.

vraiment par la dénonciation de toute forme de domination, l'essentiel serait en fait, souligne Pettit, de percevoir qu'en tout état de cause cet objectif exigeant n'impliquerait nullement l'adhésion à une conception déterminée du Bien, qui conduirait à renoncer au principe du pluralisme : elle requerrait uniquement de ne pas se contenter d'une liberté réduite à la non-interférence de mes initiatives avec celles d'autrui, mais d'élever pour ainsi dire le seuil à partir duquel commence véritablement la liberté en le situant dans la participation effective à la souveraineté – condition indispensable pour que l'existence d'un pouvoir politique n'implique pas la domination du gouvernement sur un peuple dont la liberté ne serait alors qu'une chimère. Bref, pour que la liberté ne soit pas qu'un nom qu'on se borne à écrire ici ou là, voire partout, il faudrait que la participation des citoyens à la vie publique fasse d'eux proprement, comme au demeurant Rousseau y avait déjà insisté, les auteurs des lois auxquelles ils se soumettent. La soumission à de telles lois ne constituerait plus alors, et alors seulement, l'expérience d'une domination que l'on subit, mais au contraire, dès lors que la participation serait effective, une expérience authentique de la liberté politique. Ce pourquoi Pettit peut se créditer d'avoir reformulé une conception proprement républicaine de la liberté, non originale certes, mais distincte de la conception libérale et irréductible à ce que Berlin avait présenté comme constitutif de la conception positive de la liberté (la remise en question du pluralisme des conceptions du Bien). Crédit non négligeable, puisqu'il permet de suggérer que cette conception républicaine se soustrait aussi aux critiques que lui adresse le libéralisme politique : ainsi échapperait-elle notamment à la façon dont Berlin, par allusion à Benjamin Constant, renvoyait toute conception de la liberté autre que la conception libérale (négative) à l'univers des Anciens. A la faveur d'une telle reformulation, la version républicaine de la liberté, avec la discussion de la version libérale qu'elle permet, constituerait bien plutôt une critique interne, non antimoderne, de la modernité politique : une critique restant compatible avec cet acquis de la modernité (élément constitutif du socle libéral) selon lequel l'Etat est neutre vis-à-vis des conceptions du Bien – ce qui n'aurait assurément plus de sens si la liberté-participation présupposait l'adhésion à une conception déterminée du Bien commun, comme Berlin le prétendait en ce qui concerne la notion de liberté positive.

La portée stratégique de l'opération ainsi tentée n'est donc pas douteuse. Je voudrais faire apparaître pourquoi elle me semble cependant vouée à échouer et pourquoi la possibilité, pour le républicanisme, de satisfaire, à certaines conditions et sous certaines formes, aux exigences de la modernité politique m'apparaît autrement complexe.

Qu'est-ce qu'un peuple libre ?

Repartons, pour étayer une telle appréciation, de cette évidence que, dans le débat entre libéralisme et républicanisme, se joue principalement une réflexion sur l'importance de l'Etat et de son appropriation par les citoyens.

Dans le modèle libéral de la liberté négative (ou du moins dans les dérives qu'il tolère ou peut induire), on pourrait assurément en venir à cette situation paradoxale que la liberté subsisterait en l'absence de toute participation des citoyens à l'exercice effectif de la souveraineté – à cette seule condition que l'Etat pût parvenir à empêcher les libertés des uns d'interférer avec celles des autres. Une telle situation nous paraît-elle par elle-même permettre de parler d'un peuple libre ?

A cette interrogation, ce que répondrait un républicain est parfaitement prévisible : une semblable situation crée tout au plus l'illusion de la liberté (négative), mais dépossède en fait les individus, comme citoyens, de tout contrôle véritable exercé sur le pouvoir politique ; elle fait surgir à terme ce despotisme mou de l'Etat-providence dont Tocqueville avait déjà averti qu'il pouvait en venir à menacer les libertés individuelles elles-mêmes en réduisant leur exercice à des espaces de choix de plus en plus insignifiants. Retournant en Pologne après la fin du communisme, j'avais moi-même été stupéfait de découvrir que l'ancien

Palais de la culture stalinien, autrefois si terrifiant au centre de Varsovie, était devenu un support de publicités lumineuses offrant aux habitants de la ville la possibilité de choisir librement entre Coca-Cola et Pepsi-Cola : je puis comprendre sans grande peine qu'un Etat tolérant et même favorisant de tels choix ne saurait constituer encore par lui-même une garantie que la liberté existe dans le monde ! Il ne m'est donc guère difficile de partager cette inquiétude républicaine sur les dérives possibles du libéralisme politique – à condition de préciser toutefois que la conscience de cette inquiétude n'implique nullement de nourrir un quelconque antilibéralisme, ni même le projet de trouver au libéralisme un modèle alternatif. C'est sur ce point précis qu'une tentative comme celle de Pettit me semble en vérité moins convaincante qu'elle n'en a l'air.

D'une part, malgré le refus proclamé par Pettit (pour des raisons stratégiques) d'assimiler la liberté républicaine (participation) à la liberté positive telle que l'avait présentée Berlin, il me semble que l'option républicaine (y compris sous la forme que je suis en train d'examiner) tombe bel et bien du côté d'une adhésion à une telle conception de la liberté. Certes, chez Pettit, la liberté positive est entendue en un sens différent de celui dans lequel l'avait cantonnée Berlin, puisque l'on peut convenir cette fois qu'elle n'impliquerait pas nécessairement une adhésion antimoderne à une conception moniste du Bien. Reste que se représenter ainsi la liberté ne s'accommode pas, à tort ou à raison, d'une pratique réduisant celle-ci à la non-interférence – ce pourquoi il m'apparaît tout de même difficile de ne pas y voir une sorte d'arabesque sur le thème de la liberté positive : une arabesque brillante, élégante même, mais une simple arabesque.

Il faut, d'autre part, se demander quelle portée précise accorder à cette arabesque.

S'il s'agit de rappeler le libéralisme politique à la nécessité de procéder, contre certaines de ses dérives possibles, à une sorte de correction de trajectoire, je ne peux que donner mon accord à une telle tentative, que j'entreprendrai moi-même de développer plus largement dans le prochain chapitre. Le républicanisme revisité par Philip Pettit aurait alors pour principal intérêt de nous rappeler ce qu'a de difficile, voire d'impossible à dépasser un libéralisme critique du type de celui qu'incarne le nom de Tocqueville : la suite de ce livre se propose justement de prendre cette éventualité au sérieux.

S'il s'agit en revanche d'aller plus loin et de donner à la tentative une portée plus vaste (rechercher une alternative au libéralisme politique), force m'est de souligner ma méfiance et même ma défiance : dans ce cas en effet, où la position défendue évoquerait davantage Rousseau que Tocqueville, on tend à considérer que la liberté, comprise comme non-domination, réside avant tout dans la soumission aux lois (plutôt que dans la soumission aux hommes), dès lors que la pratique effective de la participation à la vie publique permet à chacun de se penser comme l'auteur de ces lois. Un tel modèle, dès lors qu'il ne demeurerait pas purement livresque, mais s'incarnerait dans le réel, pourrait-il aujourd'hui nous satisfaire ?

La question est en effet de savoir si l'idée de soumission aux lois épuise encore vraiment pour nous, Modernes et même, comme dirait Gilles Lipovetsky, « Hypermodernes », notre exigence de liberté. Je veux dire que l'exigence moderne de liberté, telle qu'elle est exprimée dans la notion de liberté négative (et qui implique la limitation des contraintes exercées sur l'individu), ne peut sans doute plus être satisfaite par le simple programme d'une soumission aux lois. Si la liberté des Modernes équivaut à la réduction des contraintes, comment pourrait-elle être obtenue par une conception et une pratique de la loi qui, dans le modèle défendu par Pettit, va par définition très au-delà de la conception et de la pratique libérales ? Prenons le soin de préciser ce point du débat : il est décisif.

Dans l'optique libérale, la loi est exclusivement la condition de la coexistence des libertés. Par voie de conséquence, la conception libérale de la loi contient analytiquement en elle l'idée de sa

173

propre limitation (elle se limite à ce qui rend compossibles les libertés des individus) – ce qui ne me semble plus en revanche être le cas dans le modèle défini par Pettit. Au nom d'une conception de la liberté comme absence de domination, ce modèle tend en effet à oublier que la liberté des Modernes réside aussi, principiellement, dans la réduction de la part de la loi sur l'existence individuelle – bref : il tend à oublier que par lui-même le règne de la loi ou que par elle-même la soumission à la loi ne garantissent pas à nos propres yeux notre liberté.

*

Je conviens volontiers que Pettit retrouve là, dans cette thématique du règne de la loi, un *topos* essentiel de la tradition républicaine, un *topos*, non pas seulement ancien, mais également moderne : c'est au demeurant la raison pour laquelle son ouvrage mérite d'être discuté, pour la façon dont il illustre à merveille, malgré quelques déplacements que j'ai notés, ce qu'il y a, non point sans doute d'éternel, mais d'immuable, sur le temps long, dans la position républicaine. On songe bien sûr, je l'ai dit, à Rousseau. Pour ma part, j'avais jadis trouvé une parfaite expression de cette position dans le *Fondement du droit naturel* de Fichte, où, en 1796-1797, son adhésion passionnée au républicanisme français le conduisait, même après la Terreur jacobine, à soutenir, contre

174

l'individualisme libéral qu'il avait défendu quelques années plus tôt, la thèse même que, sans vraisemblablement le savoir, Philip Pettit reprend aujourd'hui. Ecoutons un instant Fichte :

« C'est seulement à la volonté nécessaire et incapable d'exceptions qui est celle de la loi que l'on peut raisonnablement aliéner sa puissance et sa faculté de juger du droit, mais nullement à une volonté humaine libre et changeante dans ses décisions [1]. »

Ce qu'envisage Pettit en matière de « théorie du gouvernement » (puisque le sous-titre de son livre revendique d'apporter à cet égard une « contribution ») diffère-t-il vraiment d'une telle thématique de la souveraineté de la loi – Fichte disait : de la toute-puissance de la loi ? Une thématique dont le même Fichte estimait qu'elle conduit à réduire tout le problème politique à la question suivante : « Comment doit être fournie la garantie que la loi, et seulement la loi, régnera ? » J'ai cru brièvement pour ma part, à une certaine époque, que la très forte cohérence de ce modèle suffisait à le valider, même s'il m'était difficile d'ores et déjà de ne pas être attentif au fait que le même Fichte, trois ans après, avait été l'auteur d'un ouvrage insensé, l'*Etat commercial fermé*, où le despotisme de la loi porte clairement toutes ses conséquences. Qu'on me permette simplement d'avouer que,

---

1. J.G. Fichte, *Fondement du droit naturel* (1796-1797), trad. par A. Renaut, Paris, PUF, 1985, p. 118.

pour avoir moi-même été impressionné par ce modèle, j'ai aujourd'hui quelques solides raisons de me méfier de toutes ses résurgences et de considérer que, contrairement à ce qu'écrivait Fichte, la « garantie » que, dans une communauté politique, « la loi agira continuellement » ne me paraît plus « suffisante » pour me convaincre que la liberté y règne. Ce pourquoi, revenu d'une telle fascination pour un républicanisme dogmatique dont Rousseau, Fichte et, à un niveau plus modeste, Pettit me paraissent fournir les meilleures (ou les pires) illustrations, il me paraît moins extravagant de réfléchir bien plutôt à ce que l'exigence républicaine, à condition de demeurer conçue dans les limites de la simple raison politique, peut aujourd'hui apporter à l'héritage du libéralisme, non point en le dilapidant, mais en le fécondant.

CHAPITRE II

Corriger la trajectoire libérale ?

Il s'était dégagé de notre archéologie du républicanisme que les thématiques républicaines s'originent en amont de la modernité et que leur devenir-moderne, ou leur modernisation, fait intrinsèquement question : notamment, la conviction républicaine selon laquelle l'espace public n'est conforme à ce qu'il doit être que si les citoyens participent effectivement à la gestion de la cité, à la vie publique, ne procède-t-elle pas d'une conception de la liberté qu'on aurait tendance à désigner, selon les catégories de Benjamin Constant, en termes de liberté des Anciens, plutôt qu'en termes de liberté des Modernes ? D'un côté, celui des républicains, la liberté-participation. De l'autre, celui des libéraux, la libre jouissance de droits protégeant l'indépendance de l'individu par rapport à l'Etat : nous

177

faut-il pour autant avaliser purement et simplement le diagnostic en vertu duquel ces deux idéaux entrent nécessairement en conflit, et envisager, au pire, d'en sacrifier l'un pour promouvoir l'autre comme une sorte d'impératif catégorique à prendre en compte absolument et exclusivement pour qu'un peuple puisse être assuré de sa liberté?

Parce qu'il me semble difficile et coûteux de s'y résigner, je voudrais défendre une perspective plus nuancée. Le républicanisme ne peut sans danger (pour la liberté même du peuple concerné) être envisagé comme une pure alternative au libéralisme politique, destinée à se substituer à lui dans la représentation et la pratique de la démocratie; en revanche ne saurait-on davantage aujourd'hui faire le choix du libéralisme politique sans intégrer à ce choix l'idée d'une autocorrection de la démocratie libérale. Une semblable autocorrection, parce que, comme telle, elle s'effectuerait à partir du libéralisme, ne ferait pas échapper à l'orbite libérale, qui me semble devoir constituer indissolublement celle de la modernité politique. Pour autant, cette orbite, comprise à la lumière de ce qu'a été jusqu'ici le parcours des démocraties libérales, non seulement autorise, mais appelle de la part du libéralisme lui-même un retour réflexif et critique sur sa propre dynamique : c'est en vue de cette autoréflexion et de cette autocritique que la part de vérité comprise dans les objections républicaines mérite d'être intégrée au questionnement que le libéralisme est tenu de développer sur lui-même s'il ne veut pas s'abandonner à ses dérives. Bref, on ne saurait prétendre, en ce début du XXIᵉ siècle, faire échapper le libéralisme politique aux malentendus dont son histoire, notamment en France, est lourdement grevée sans requérir de lui qu'il se donne les moyens de rester plus fidèle à ses principes et à ses valeurs que ce ne serait le cas s'il cédait à ses démons : c'est pour ne pas leur céder qu'il gagnera à prendre au sérieux et même à prendre à son compte ce que lui en révèlent les critiques républicaines.

L'éventualité qu'il faille songer à ouvrir ainsi le libéralisme politique à ce que lui apprend sur lui-même un ennemi aussi intime que le républicanisme confirme rétrospectivement l'importance du moment constitué, dans l'archéologie républicaine, par le travail qu'ont accompli à cet égard les Pères fondateurs de la république américaine. Au moins dans ce moment « américain » s'est déjà manifesté en effet que la référence républicaine peut sous certaines conditions laisser, dans sa relation au libéralisme moderne, une marge de manœuvre : Hamilton, Madison et Jay n'ont pas en leur temps fait surgir le républicanisme comme une alternative radicale au libéralisme, mais l'ont plutôt envisagé comme une façon de prévenir certaines dérives possibles de la démocratie libérale. *Le Fédéraliste* n'oppose pas brutalement ou frontalement à la logique libérale de l'intérêt individuel les exigences d'une régénération par la vertu civique, mais laisse penser que le souci républicain de l'intérêt général peut être compatible avec la diversité des intérêts en conflit : une fois mesurées, comme nous venons de le faire sur l'exemple de Philip Pettit, les exigences exorbitantes et finalement redoutables d'un républicanisme antilibéral, pourquoi ne pas tenter à nouveau de faire fond bien davantage sur cette hypothèse ? Repartant de la logique individualiste du libéralisme politique, il s'agirait alors de s'efforcer d'apercevoir à la fois pourquoi elle peut conduire à rechercher un correctif et quels divers types de correctifs, plus ou moins acceptables, la référence républicaine est à même de lui apporter. Là résiderait, du moins dans ceux de ces correctifs qui resteraient compatibles avec la trajectoire libérale, la véritable signification que nous pourrions accorder aujourd'hui à cette référence, après la naissance des sociétés démocratico-libérales.

Précisons l'hypothèse. Relue à partir de ce moment « américain », toute la discussion contemporaine sur l'éventuelle alternative républicaine au libéralisme apparaît tourner autour d'une réflexion sur la liberté des Modernes. Entendre : autour d'une réflexion sur les effets de la dynamique induite, chez les Modernes, par la valorisation d'une certaine conception de la liberté – comprise comme liberté individuelle, c'est-à-dire comme indépendance de l'individu. De cette conception de la liberté comme indépendance de l'individu, je m'étais employé autrefois à cerner la genèse philosophique : au cœur d'une telle genèse m'était apparu se jouer une radicalisation ou un passage à la limite conduisant de la conception humaniste de la liberté en termes d'autonomie du sujet à la promotion de cette figure très particulière du sujet moderne qu'est l'individu [1]. Sans avoir rien à changer à cette présentation du processus, je serais plus attentif désormais à la façon dont l'émergence du libéralisme politique, qui a certes eu quelque chose à voir avec ce déplacement de l'humanisme vers l'individualisme, constituait moins, comme tel, une dérive par rapport aux valeurs de l'humanisme qu'il ne contenait en lui la simple possibilité d'une telle dérive : ce pourquoi je voudrais ici procéder en deux temps – tout d'abord repérer quels sont les éléments de ce que je désigne en général comme le cadre libéral de la modernité politique, puis cerner ce qui peut venir fragiliser un tel cadre et appelle à mes yeux bien davantage sa consolidation que son éradication. C'est alors,

---

1. A. Renaut, *L'ère de l'individu. Contribution à l'histoire de la subjectivité*, Paris, Gallimard, 1989. J'analysais alors comment, philosophiquement, cette radicalisation individualiste s'était accomplie dans le contexte monadologique où, à partir de Leibniz, l'interrogation sur le sujet avait été conduite à se développer.

181

dans la recherche de ce par quoi les idéaux républicains peuvent aider à consolider le cadre libéral que j'essaierai d'en situer le meilleur usage, quitte à froisser, ce faisant, bien des susceptibilités républicanistes.

LE CADRE LIBÉRAL

Concernant la définition du cadre libéral, je me bornerai ici à rappeler qu'on peut l'assimiler à l'adoption de quatre principes, qui constituent au fond les principes mêmes de la modernité politique, tels qu'on les trouve dans toute la tradition du libéralisme de Locke jusqu'à Rawls [1].

Le principe fondamental du libéralisme politique est bien sûr celui de la démocratie représentative : principe que le libéralisme a en commun avec le républicanisme et qui fait de l'un et de

---

1. Par rapport à mes analyses antérieures du cadre ou du socle libéral (notamment « Les discussions républicaines du libéralisme moderne », dans le tome IV de mon *Histoire de la philosophie politique*, Paris, Calmann-Lévy, 1999), je modifie ici fortement l'ordre de présentation des éléments retenus, de façon à mieux faire ressortir la logique qui les relie et qui fait du libéralisme une des versions possibles de la démocratie comme régime fondé sur le principe de la souveraineté du peuple. La présentation proposée a en outre l'avantage de faire surgir progressivement, dans l'articulation entre le deuxième et le troisième élément, la spécificité du libéralisme par rapport à son ancrage, partagé avec le républicanisme, dans la conception du meilleur régime comme celui où le peuple est souverain.

182

l'autre deux théories et deux pratiques de la souveraineté du peuple exercée (du moins quand le républicanisme surmonte son attrait pour la démocratie directe) par l'intermédiaire de représentants. Le libéralisme politique est en ce sens une figure ou une version de la démocratie. Plus précisément, la conception « démocratico-libérale », pour reprendre la formule utilisée par Raymond Aron dans *Démocratie et totalitarisme,* correspond à ce que cet ouvrage caractérisait par l'idéal d'un régime « constitutionnel-pluraliste » : en l'occurrence, la dimension de pluralisme (la référence à la pluralité des partis politiques et des systèmes de valeurs auxquels ils se réfèrent) renvoie justement à l'idée de démocratie représentative (les « partis » étant supposés représenter la diversité des groupes sociaux et des intérêts) ; la dimension constitutionnelle se rattache, elle, à l'idée d'une définition des pouvoirs de l'Etat par le droit, ouvrant ainsi sur le principe, qu'on explicitera dans ce qui suit, d'une limitation de l'Etat.

Si l'affirmation de la souveraineté du peuple est commune au libéralisme et au républicanisme (faisant ainsi de chacun d'eux une manière de se représenter un peuple libre), un deuxième principe est déjà plus spécifique au modèle libéral : il consiste, nous avons eu l'occasion de le voir à l'œuvre, dans la valorisation de l'individu et de ses libertés. En un sens, ce deuxième principe se déduit du premier, si tant est qu'un peuple libre (souverain) est un peuple fait d'hommes libres et qu'il n'est pas de possibilité de liberté (du moins le libéralisme, depuis Locke, n'a-t-il cessé de défendre cette conviction) pour un être qui ne pourrait distinguer sa volonté de celle d'autrui. Or, si nul ne peut se concevoir comme libre sans s'apparaître à lui-même comme doté d'une volonté propre, la capacité de faire preuve d'une volonté propre n'équivaut-elle pas à celle de s'affirmer comme une individualité ? Nous apercevrons ci-dessous comment cette valorisation de l'individualité entretient aussi un lien avec l'affirmation tout aussi principielle de la limitation de l'Etat, qu'à sa manière elle implique. Du moins apparaît-il d'ores et déjà selon quelle logique profonde le libéralisme politique est un individualisme : plus précisément, le libéralisme est un humanisme qui situe l'humanité de l'homme dans sa capacité à affirmer son individualité, parce que dans cette individualité et dans l'indépendance qu'elle requiert à l'égard des autres se joue la liberté même de l'humain.

Condition non suffisante, peut-être, de la liberté, donc de l'humanité (une large part du désaccord avec les républicains est là), l'individualité en est du moins conçue ici comme la condition nécessaire, parce qu'un être ne faisant pas preuve d'une volonté propre ne saurait s'arracher à la matérialité pure et simple : celle des choses et, sans doute, des animaux. Où se confirme, j'y insiste, que c'est parce qu'il s'est forgé à partir de l'émergence moderne de l'humanisme que le libéralisme politique s'est conçu lui-même comme un individualisme : l'individualisme politique ne constitue donc pas, en tant que tel, une dérive ou une dégénérescence de l'humanisme (je corrige ainsi quelques formulations ambiguës, du moins dans leur lettre, de mon *Ere de l'individu*), mais plutôt une explicitation possible de l'humanisme – toute la question étant de savoir si cette explicitation, qui fait de lui une version de l'humanisme, ne contient pas, elle, l'éventualité de dérives qu'il sera alors à la charge du libéralisme de prévenir. Laissant encore cette question seulement ouverte, on soulignera en tout cas que, si l'humanisme libéral est un individualisme politique, la théorie libérale de l'Etat consistera très logiquement à voir en lui un instrument au service de la protection de libertés individuelles conçues en termes d'indépendance : chacune des libertés entendues au sens de la conception libérale de la liberté correspond ainsi à une figure de l'indépendance par rapport à toute autre instance que celle de la volonté individuelle elle-même. Rien d'étonnant, donc, si la tradition libérale privilégie les libertés individuelles entendues comme ces « libertés négatives » que Isaiah Berlin valorisait tellement : la liste de ces libertés négatives (telle qu'elle a été dressée dans les Déclarations des droits de l'homme de la fin du XVIIIᵉ siècle, du moins, pour ce qui est de la France, dans celle de 1789) mérite bien en ce sens d'être présentée comme le « credo libéral ». De même que le libéralisme mérite de se voir crédité d'avoir inventé les premiers et plus fondamentaux droits de l'homme, pièce centrale de l'héritage et de la tradition libérale bien avant de devenir au XIXᵉ siècle, sur la base d'une réinterprétation, un ingrédient de la tradition socialiste.

L'individualisme libéral contient déjà en lui, je l'ai annoncé, la formulation d'un troisième principe, par l'explicitation duquel le libéralisme achève de manifester, parmi les théories de la démocratie, son irréductible spécificité : celui d'une limitation de l'Etat. Si le libéralisme politique se signale en effet toujours, pour reprendre le titre de l'ouvrage écrit par Wilhelm von Humboldt en 1792, comme un « essai pour définir les limites de l'action de l'Etat », c'est en effet directement parce qu'il fait de l'individu libre une valeur sacrée : puisque la société se définit comme l'ensemble des individus et des groupes d'individus, valoriser la liberté des individus implique de garantir à la sphère sociale une dimension d'autonomie par rapport à l'Etat; en ce sens, reconnaître l'individu comme principe et comme valeur, c'est aussi ériger la limitation de l'Etat en principe politique. Il faut prendre le

186

temps d'expliciter tout particulièrement la teneur de ce troisième principe, tant il est distinctif, pour le libéralisme politique, des autres versions de l'idée démocratique, notamment de toutes les formes concevables d'absolutisme.

En France, le vocabulaire politique est devenu extrêmement confus : peut-être l'a-t-il même toujours été, mais au moins sous l'influence du marxisme on s'est mis à identifier durablement le libéralisme politique au libéralisme économique et, par ce biais, au capitalisme. Ainsi fut-ce bien longtemps, en matière de catégories politiques, l'opposition entre libéralisme et socialisme qui s'est trouvée privilégiée [1] – ce qui eut doublement quelque chose de sommaire et d'égarant : d'une part, il reste, aussi stupéfiant que cela puisse paraître, nécessaire de le rappeler, le libéralisme politique ne se superpose pas au libéralisme économique, et il est, de par le monde, bien des pays économiquement libéraux, voire néolibéraux, qui ne constituent pas, politiquement, des démocraties libérales ; d'autre part, tout socialisme n'est pas un socialisme étatique, et il existe un courant du socialisme libéral, difficile certes à traduire politiquement, mais qu'on ne saurait pour autant écarter du revers de la main. En sorte que, pour cerner le libéralisme politique,

---

1. Pour une étude et discussion plus documentée de ce processus, je renvoie à *Qu'est-ce qu'une politique juste ?*, Paris, Grasset, 2004.

il demeure indispensable de comprendre qu'il fait bien moins antithèse avec le socialisme (comme le croient encore ou feignent encore de le croire, par stratégie, la plupart de nos leaders socialistes) qu'avec l'absolutisme politique, comme la conception lockienne de l'Etat faisait antithèse avec la conception hobbésienne.

Quelles qu'eussent été en effet, au-delà de l'Etat-Léviathan de Hobbes, les autres figures de l'absolutisme, y compris ses figures républicaines (rousseauistes-jacobines) ou socialistes (léninistes), le point de clivage essentiel entre ces deux traditions réellement incompatibles s'est toujours trouvé dans la question de savoir si l'Etat doit détenir un pouvoir sans limites. Plus précisément : le pouvoir de l'Etat est-il produit par l'aliénation à laquelle les individus procèdent de tous leurs droits à un souverain qui les récupère tous à son profit pour assurer leur sécurité ou leur bonheur? C'est là le principe même de tout absolutisme. Ou bien les individus conservent-ils une partie de leurs libertés, garanties par des droits, qu'ils opposent à l'Etat comme d'infranchissables limites à son pouvoir, lequel pouvoir de l'Etat est alors conçu comme chargé de garantir la coexistence des libertés? C'est là le principe (le troisième de ceux que je propose d'identifier comme constitutifs du cadre libéral) qui s'est trouvé défendu dès la naissance anglaise du libéralisme, au XVIIe siècle, avec pour première thématisation véritable celle qu'en fournit Locke en 1690 dans son *Traité du gouvernement civil*. Pour approfondir encore, à cet égard, les termes du débat sur les conditions de la liberté politique, où le libéralisme est venu s'inscrire comme l'une des positions possibles, on pourra s'aider tout particulièrement de la façon dont un républicain aussi convaincu qu'a pu l'être Fichte présentait pour sa part, au § 8 de son *Fondement du droit naturel*, la thèse libérale :

« La liberté juridique n'est, d'après la loi juridique, limitée par rien d'autre que par la possibilité que d'autres puissent aussi être libres à côté d'elle et avoir des droits. Tout ce qui ne porte pas atteinte aux droits d'un autre, elle doit, d'après la loi juridique, avoir la possibilité de le faire, car c'est en cela précisément que consiste son droit. »

A quoi faisait antithèse, dans cette présentation juste et forte de l'antinomie majeure de la modernité politique, une position absolutiste ainsi énoncée :

« Chaque personne doit aliéner totalement et sans réserve aucune sa puissance et sa faculté de dire le droit, si jamais un état de droit doit être possible entre des êtres libres. »

Nous gagnerions puissamment, dans notre débat politique actuel, à nous ressourcer, pour situer le libéralisme, à une telle antithétique : de sa mise en relation d'opposition pure et simple avec l'absolutisme, le libéralisme politique ressort en effet, à l'écart de bien des confusions qui obèrent nos chances de discussion, comme la position qui tient pour non négociable une limitation réciproque de la société et de l'Etat. Ce qui fournit à vrai dire à la théorie et à la pratique de l'Etat moderne deux indications aussi indispensables l'une que l'autre pour distinguer le libéralisme de ce qu'il n'est pas :

— D'une part, l'Etat se trouve reconnu comme nécessaire : il s'agit donc, pour une politique libérale, de limiter la société et son déploiement sans frein par une telle reconnaissance de l'Etat. Par quoi le libéralisme politique se distinguait, à l'avance, aussi bien de toute forme d'anarchisme, qui dissout l'Etat dans la société, que des variantes actuelles du néo-libéralisme ou du libertarianisme, qui minimalisent l'Etat au point de ressusciter parfois le vieux mythe, qu'avait lui aussi paradoxalement cultivé le marxisme, de son extinction progressive.

— D'autre part et symétriquement, dans cette logique libérale, l'Etat se voit limité à son tour par la reconnaissance d'une autonomie de la société. Par quoi le libéralisme se sépare cette fois de l'absolutisme aussi bien que du socialisme étatique (non libéral), qui résorbent tous deux la société dans l'Etat. Cette affirmation d'une nécessaire autonomie de la société par rapport à l'Etat reste de toute évidence un enjeu central du débat politique contemporain, notamment autour de la question de savoir comment apprécier cette marge d'autonomie et comment en déterminer l'extension dans tel ou tel domaine de l'existence sociale : d'une façon générale, la version républicaine (notamment républicaine-française) de la démocratie a tendu à défendre une restriction de cette marge d'autonomie et à promouvoir une figure forte de l'Etat. Toute une série de conséquences s'en sont suivies, où le déficit d'autonomie infligé à certains secteurs de la société fait aujourd'hui de plus en plus question au plan concret de l'existence individuelle ou collective : paradoxalement, ne resurgit pas toujours pour autant avec clarté (tant s'en faut !) dans la conscience des acteurs concernés que ces conséquences se rattachent directement au choix d'un autre principe d'organisation des pouvoirs publics que celui, intrinsèquement libéral, de la limitation de l'Etat.

Avant que nous entreprenions de maîtriser ce paradoxe, reste à compléter cette description du cadre libéral de la modernité politique par l'indication d'un quatrième et dernier principe, qui correspond à un thème qu'a fortement contribué à réaccentuer Rawls et que nous avons rencontré chemin faisant : celui de la neutralité de l'Etat par rapport aux convictions et aux opinions en matière de choix de valeurs, notamment dans les sphères religieuse et morale. Ce quatrième principe se relie aussi bien aux exigences comprises dans l'idée d'une autonomie de la société (qui exclut par exemple une religion d'Etat) qu'à la valorisation des libertés individuelles : parmi celles-ci se trouve, de fait, la liberté d'opinion ou de conscience, dont le respect par l'Etat implique pour lui-même le choix de sa neutralité en matière de choix de valeurs. Principe de neutralité de l'Etat qui est d'une extrême importance par tout ce qu'il implique à la fois politiquement et conceptuellement en matière de valorisation du pluralisme : pour le moins véhiculait-il avec lui, par exemple, la perspective, inscrite depuis toujours dans la logique libérale, d'une forte tolérance, enracinée dans ce principe de neutralité de l'Etat, à la diversité des opinions ou convictions (morales, religieuses, culturelles). Parce que le libéralisme politique induit ce choix de la tolérance à la diversité, les sociétés qu'il a façonnées ont pour caractéristique d'être fortement plurielles et de concevoir que la liberté d'un peuple démocratique se mesure à la garantie qui se trouve apportée à ses composantes individuelles ou collectives de se diversifier les unes des autres aussi largement que le permettent les besoins de la coexistence : caractéristique qui, ici encore, distingue fortement ces sociétés de celles dont la construction s'est accomplie sous l'égide d'un républicanisme dont nous savons qu'il a interprété l'idée de neutralité bien davantage dans le sens d'une neutralisation des différences par l'Etat, au moins dans l'espace public. Sans ouvrir le débat, qui ici se profile, entre la tolérance libérale et la laïcité républicaine [1], je ne peux pas ne pas souligner au passage que l'interprétation libérale de la neutralité (comprise comme tolérance à la diversité) ménage la possibilité de séparer avec netteté le droit et la morale, sous la forme de la conviction (centrale par rapport à la question du civisme et de la place à accorder à la vertu dans la conception de la communauté politique) qu'il n'est pas besoin d'inculquer aux individus un système de valeurs déterminé pour en faire de bons citoyens capables d'obéir aux lois. Où l'on retrouverait une fois encore la perspective selon laquelle l'éducation, dans l'optique libérale, devrait avant tout être une éducation de l'intelligence, et non pas une éducation à la vertu, puisqu'en raison de sa neutralité, l'Etat ne peut pas demander aux citoyens de faire preuve de telle ou telle qualité morale se rattachant à une certaine idée du Bien, mais seulement d'obéir aux lois – ce à quoi, comme le disait Kant, même un peuple de démons peut parvenir, pourvu qu'il ait quelque intelligence.

Souveraineté du peuple (démocratie représentative), sacralisation des droits et libertés

---

1. Sur cette vaste question, je préfère en effet renvoyer à : A. Renaut, A. Touraine, *Un débat sur la laïcité*, Paris, Stock, 2004.

de l'individu (individualisme juridico-politique), limitation de l'Etat (autonomie de la société), neutralité de l'Etat (pluralisme, tolérance à la diversité) : tels sont donc les quatre principes majeurs dont la façon dont ils se relient les uns aux autres donne sa consistance au cadre libéral [1]. Encore faut-il comprendre comment, en dépit de sa consistance, ce cadre, dont le tracé était, pour l'essentiel, acquis depuis Locke, donc dès les dernières années du XVIIe siècle, n'a pas suffi par lui-même à fournir durablement aux grandes intuitions porteuses de la modernité politique les conditions de leur pleine et entière réalisation : comment comprendre en effet que, chez les Modernes eux-mêmes, la référence républicaine, dont nous avons vu qu'elle était issue du monde antique, soit venue hanter avec une forte insistance, sur des modes divers, la conscience démocratique ? J'ai suggéré d'ores et déjà que

---

1. D'autres éléments encore pourraient apparaître s'intégrer dans ce cadre, comme par exemple le contractualisme politique (le fait d'inclure dans la fondation de tout pouvoir légitime une dimension par laquelle celui qui le détient reçoit de ceux sur lesquels il l'exerce le droit à l'exercer). De tels éléments, malgré leur importance, n'ont pas été mentionnés ici, soit parce qu'ils se rattachent manifestement à l'un des principes retenus (dans le cas du contractualisme, le lien avec l'individualisme est évident, puisque si l'individu est principe, le contrat va être une représentation particulièrement pertinente pour se représenter la légitimité d'une autorité), soit parce qu'ils ne sont pas spécifiquement libéraux (ainsi, dans l'école du droit naturel moderne, une pensée comme celle de Pufendorf constitue une étape clef dans l'histoire du contractualisme sans que l'on puisse l'identifier comme libérale).

cette réactivation pouvait s'interpréter comme significative de difficultés inscrites dans la trajectoire démocratico-libérale : des difficultés dont l'émergence et la thématisation auraient suscité le besoin d'une indispensable correction à imprimer à cette trajectoire. C'est cette perspective d'une correction républicaine de la trajectoire libérale qu'il faut maintenant expliciter et interroger.

PROBLÉMATISATIONS DU MODÈLE LIBÉRAL

Pour rendre justice à l'inspiration démocratico-républicaine, il ne suffit pas en effet d'adopter sur le républicanisme une perspective rigoureusement critique consistant à y voir un simple anachronisme qui ferait resurgir une conception prémoderne de la liberté entendue comme participation à la vie de la cité et non plus comme indépendance individuelle. Une telle analyse, qu'une lecture pressée peut croire trouver chez Benjamin Constant, voue la sensibilité républicaine à n'avoir pour horizon que de contribuer à une résurgence de l'absolutisme : or, s'il est bien, certes, une version républicaine (jacobine) de l'absolutisme, on ne saurait raisonnablement prétendre épuiser par là ce qui a pu animer et continue d'animer parfois, fort heureusement, la sensibilité républicaine. Une telle appréhension de l'orientation républicaine procéderait en fait, à mon sens, d'une double erreur.

D'une part, ce serait là omettre de prendre suffisamment en compte le fait que, dans sa valorisation de la liberté-participation au pouvoir politique, la sensibilité républicaine peut aussi s'inscrire de plein droit, par la médiation d'une représentation de l'humanité de l'homme en termes de capacité d'autonomie, dans la modernité. C'est même par ce biais, par la façon dont les républicains modernes ont réinterprété la liberté-participation à partir de la conception de l'être humain comme sujet ou auteur de ses choix, que le républicanisme a connu un processus de modernisation qui lui a permis de survivre bien au-delà de la fin du monde antique. Le républicanisme que nous évoquons ici, et qui se présente comme une critique du libéralisme moderne, peut se faire valoir, du moins sous certaines conditions, comme une critique elle-même moderne de la modernité politique. Sous certaines conditions, je veux dire par là : si du moins la critique n'ouvre pas sur une destruction pure et simple de ces valeurs de la modernité dont j'ai essayé de montrer en quoi elles avaient trouvé, dans le cadre libéral, une expression forte et consistante.

J'ajoute, d'autre part, que, dans l'optique inspirée par une lecture simplificatrice de Constant et qui consiste à renvoyer purement et simplement l'idéal républicain à la « liberté des Anciens », on saisit mal pourquoi une référence qui supposerait le sacrifice de la modernité serait revenue avec une telle fréquence réencombrer la conscience politique des Modernes : paradoxe que, dans l'optique se réclamant de Constant, on a véritablement beaucoup de mal à comprendre, précisément parce que l'on ne voit pas (là réside la seconde erreur) que l'inflexion républicaine du libéralisme a en fait procédé, chez les Modernes, d'une problématique induite par le libéralisme lui-même.

Globalement, le contenu de cette problématique a déjà sollicité notre attention : il touche à la question du désinvestissement de l'espace public. Il convient néanmoins de le remettre ici en perspective à partir de la façon dont c'est la dynamique même de modernisation libérale de la société et de la culture qui fait surgir cette question.

Ce qui a rendu problématique le modèle démocratico-libéral correspond en vérité à deux interrogations, dont la seconde est de loin la plus importante, mais dont la première mérite néanmoins d'être mentionnée dans la mesure où elle trouve tout particulièrement un sens dans le contexte français.

Une première problématisation républicaine du libéralisme engage une interrogation sur la forme même du gouvernement : le pouvoir exécutif, dans un régime libéral, doit-il être héréditaire ou non? En France, c'est à cette interrogation que se rattache, dans le langage le plus usuel, l'option républicaine, au sens où, en 1792, l'avènement de la république a d'abord consisté à abolir la monarchie héréditaire. Depuis la constitution de 1791, qui affirme à la fois la souveraineté du peuple français et le caractère monarchique d'un pouvoir exécutif délégué au roi par le peuple, la monarchie avait été en quelque façon « libéralisée », par son intégration dans une conception et dans une pratique de l'Etat comme Etat de droit : le roi ne règne plus que « par la loi », et « ce n'est qu'au nom de la loi qu'il peut exiger l'obéissance ». Reste que si le monarque est ici devenu un représentant du véritable souverain qu'est le peuple, la royauté ainsi enchâssée dans cette première mouture d'un dispositif démocratique restait, selon les termes mêmes de la constitution, « déléguée héréditairement à la race régnante de mâle en mâle, par ordre de primogéniture, à l'exclusion perpétuelle des femmes et de leur descendance ». Système déconcertant, dont on ne saurait s'étonner qu'il n'eût été appliqué que pendant un an : la royauté fut abolie dès le 21 septembre 1792, dans le contexte nouveau de la guerre avec les monarchies européennes et après que Louis XVI, usant de son droit de veto, fut plusieurs fois entré en conflit avec cette autre représentation du peuple que constituait le corps législatif. Quatre jours après l'abolition de la royauté, un décret de la Convention proclamait que « la République française est une et indivisible ». Le même geste s'est répété en 1848 : la constitution du 4 novembre établit alors, après l'abdication de Louis-Philippe, que « la France s'est constituée en République » – une République « démocratique, une et invisible » où « la souveraineté réside dans l'universalité des citoyens français » et exclut que les pouvoirs publics, émanant tous du peuple, puissent être « délégués héréditairement ». La démarche fut sensiblement différente en 1870, où la République proclamée le 4 septembre, après Sedan, signifiait surtout la récusation du principe héréditaire rétabli à son profit en 1852 par Louis Napoléon : d'abord président élu de la République (1851), puis installé au pouvoir pour dix ans (toujours comme président) par la constitution de janvier 1852, celui-ci avait été créé empereur par un sénatus-consulte du 7 novembre 1852 modifiant la constitution et établissant que « la dignité impériale est autoritaire ». L'abolition de l'Empire héréditaire laissait en fait ouverte la question de la forme du gouvernement : il fallut quatre ans pour la régler, au terme d'un vif et durable débat entre les partisans d'une réorganisation effectivement républicaine des institutions et ceux d'un retour à la monarchie. En sorte que, sans insister outre mesure sur ces épisodes, il est fort compréhensible qu'en France notre perception du débat entre républicanisme et libéralisme soit pour ainsi dire parasitée par cette question fortement contextuelle : fallait-il, en libéralisant le régime (par la Déclaration des droits de l'homme, par la construction de l'Etat de droit) et en le rendant représentatif, le rendre aussi électif au sommet de l'exécutif ? C'est la réponse positive à cette question qu'on identifie le plus souvent, en France, au régime républicain, avec pour conséquence qu'il fut longtemps possible, dans ce contexte, d'être aussi bien « libéral républicain » que « libéral monarchiste » (au sens d'une monarchie constitutionnelle) : en témoigne au reste fort bien l'exemple de Benjamin Constant, qui fut toujours libéral et antirousseauiste, mais qui fluctua durablement sur la question de savoir si l'exécutif devait être héréditaire ou électif. Ainsi entreprit-il d'écrire en 1795 un vaste ouvrage, demeuré inachevé, « sur la possibilité d'une constitution républicaine dans un grand pays » où c'était avant tout cette question qui était posée et tranchée contre le principe d'hérédité [1]. Constant abandonna cet ouvrage pendant la dictature napoléonienne, puis revint à

---

1. Dans cet ouvrage (rééd. Aubier, 1971), Constant estimait alors non sans raison que, puisque « la proclamation de l'égalité est la question principale de la Révolution et, pour ainsi dire, la question du siècle », la dynamique de l'égalité entre en conflit avec celle de l'hérédité et que la constitution devait donc être républicaine.

la solution anglaise en 1814 dans ses *Réflexions sur les constitutions, la distribution des pouvoirs et les garanties dans une monarchie constitutionnelle* – alors même que, comme en témoigne l'opuscule de 1819 sur la liberté des Anciens comparée à celle des Modernes, il demeurait libéral et définissait la liberté par « le triomphe de l'individualité ». Peu importent ici les raisons de ces revirements, qui tinrent, du moins pour les plus conceptuelles et les moins opportunistes d'entre elles, à la conviction que soustraire une dimension du pouvoir au principe électif permettrait de créer un pôle de stabilité, arraché aux aléas de l'opinion et constituant en ce sens ce que Necker, père de Madame de Staël, avait jadis appelé un « pouvoir préservateur », ultime recours en cas de crise grave de l'exécutif élu. En tout état de cause, dans ce cadre, la référence républicaine fut profondément marquée par ce débat durable sur la forme du gouvernement : non qu'elle s'y réduisît jamais, mais du moins cette question y eut-elle longtemps sa place, avec pour conséquence que le débat français entre libéralisme et républicanisme a souvent consisté à opposer au libéralisme anglais comme constitutionnalisme monarchiste une version tenue pour plus aisément compatible avec l'idée démocratique de l'égalité de tous les êtres humains en droit.

Cette dimension de la problématisation républicaine du libéralisme devait être rappelée : non point du tout pour son acuité, qui s'est émoussée aujourd'hui, mais pour rendre plus compréhensible la façon dont le discours républicain, en France, se donne si souvent à lui-même, quand il entend incarner l'idéal démocratique, un caractère d'évidence. Ce pourquoi, au reste, nous avons tant de mal, à partir de cette histoire et dans ce contexte, à pénétrer par la bonne entrée dans le débat sur la forme, républicaine ou libérale, de la démocratie.

Sans doute y parviendrions-nous mieux, du moins est-ce ma conviction, si, délaissant cette première problématisation républicaine du libéralisme, nous considérions de façon privilégiée la seconde, qu'il vaudrait décidément mieux, pour la distinguer de la précédente, désigner comme républicaniste : une tout autre problématisation, qui s'impose à notre réflexion quand nous considérons, non plus la question de la forme du gouvernement, mais ce qui, à partir du cadre libéral tel que nous l'avons tracé, pouvait venir faire difficulté, y compris pour des défenseurs sincères de la modernité politique. Evoquant de tels défenseurs, je songe au premier chef, en l'occurrence, à Tocqueville, dont il nous faut mieux comprendre (nous l'avions déjà entrevu en constatant que Rawls faisait de lui un représentant du républicanisme classique) en quoi il est sans doute le meilleur représentant de la plus profonde problématisation républicaine du libéralisme.

J'ai toujours été frappé par la manière dont, hors de France et notamment aux Etats-Unis, Tocqueville est tenu pour le prototype du penseur républicain, alors qu'ici il apparaît plutôt comme le philosophe ou le sociologue politique le plus représentatif, en langue française, du libéralisme. Ma conviction, au final, est que les deux appréhensions ont quelque chose de juste, à condition de compléter l'appréhension française par l'appréhension américaine et de percevoir que l'identification de Tocqueville comme purement libéral résulte en grande partie des conditions fort particulières dans lesquelles, en France, sa pensée fut redécouverte à partir du début des années 1960, sous l'impulsion de Raymond Aron.

Cette redécouverte s'est en effet accomplie dans une situation intellectuelle marquée alors par ce qu'il faut bien appeler l'hégémonie du marxisme. Le fait même que ce fût Aron qui, dans son *Essai sur les libertés* ou dans ses magistrales *Etapes de la pensée sociologique*, ait le premier recouru si intensément aux ressources de l'œuvre de Tocqueville, dans le cadre de sa propre critique du marxisme et du socialisme étatique, explique que l'on ait pour ainsi dire identifié Tocqueville à celui qui, dans le camp libéral, le faisait redécouvrir. En fait, si l'on y songe avec le recul dont bénéficie aujourd'hui la réflexion, il n'est pas interdit d'estimer que la lecture aronienne a certes, dans un premier temps, permis de redevenir attentif à une grande philosophie politique oubliée, mais qu'elle a aussi ensuite, sans avoir elle-même été le moins du monde déformante, quelque peu fait écran en masquant, pour des raisons tenant précisément au contexte, ce qu'était dans le rapport au libéralisme l'inflexion spécifiquement tocquevillienne [1]. Profondément anti-absolutiste, donc libéral (en ce sens que l'on retrouverait sans nulle peine dans son étude sur la démocratie américaine les quatre éléments constitutifs du cadre libéral), Tocqueville s'est en effet, plus encore que Constant, employé à faire apparaître que l'individualisme libéral pouvait aussi, à force de valoriser l'indépendance, entraîner un désinvestissement de l'exercice de la souveraineté et par là même la naissance d'un Etat tutélaire risquant, par oubli de ses limites, d'engendrer une nouvelle forme de despotisme. Ainsi voyons-nous surgir, au fil de ces analyses célèbres, une problématisation du libéralisme

---

1. Deux études universitaires récentes peuvent ici aider à faire le point sur de tels effets de lecture, celle d'Agnès Antoine, *L'impensé de la démocratie. Tocqueville, la citoyenneté et la religion*, Paris, Fayard, 2003 (qui, entre autres mérites, a eu celui de rappeler qu'en 1839 Tocqueville, dans une lettre, écrivait que, s'il était élu député, il siégerait « au centre gauche »), et celle, aussi rigoureuse que précise, de Serge Audier, *Tocqueville retrouvé. Genèse et enjeux du renouveau tocquevillien français*, Paris, Vrin/ EHESS, 2004.

politique, animée non pas par la volonté de reva-loriser l'Ancien Régime (puisque Tocqueville fait de la démocratie un « progrès irrésistible »), mais par la volonté d'imprimer à la dynamique démocratico-libérale la correction de trajectoire sans laquelle elle conduirait à son auto-destruc-tion : sous ce rapport, une telle discussion de la démocratie libérale fournit tous les éléments d'une authentique problématisation républicaine du libéralisme. Quand il admire dans la répu-blique américaine le système des associations, Tocqueville ne souhaite en effet pas seulement recréer des corps intermédiaires mettant des crans d'arrêt à la puissance publique (et préser-vant donc sa limitation, selon le concept libéral de l'Etat), mais il entend aussi que les citoyens puissent ainsi apprendre ou réapprendre l'exer-cice de leur liberté-participation à la vie de la cité et à sa gestion : apprentissage qui ne se conçoit que dirigé contre les effets pervers d'un privilège trop exclusif accordé, dans la dynamique libérale, à l'optique des libertés négatives et dans le des-sein de recréer des pôles de réimplication des individus dans l'espace public. Bref, l'apport de Tocqueville consiste à ébaucher les linéaments de ce qu'on pourrait appeler un *credo républicain* destiné à corriger les effets pervers, finalement antilibéraux, d'une interprétation maximaliste et unilatérale du *credo libéral* : il faudrait à cette fin – telle a été du moins la correction de trajectoire que Tocqueville a estimé souhaitable d'imprimer à la dynamique démocratico-libérale – développer des espaces de liberté positive (liberté-participation) pour sauver les libertés négatives elles-mêmes, c'est-à-dire pour demeurer dans le cadre libéral.

Même si elle n'a certes pas inventé la problématisation républicaine du libéralisme, cette démarche tocquevillienne mérite d'apparaître comme constituant néanmoins l'archétype moderne d'une telle problématisation : une fois mis en place le cadre libéral, comment prévenir les dérives de la dynamique démocratique ainsi lancée, et notamment les dérives individualistes qui finiraient par faire exploser ce cadre, en mettant en péril aussi bien la limitation de l'Etat que le principe d'une souveraineté effectivement exercée ? Bref, si Locke est l'inventeur le plus certain du modèle libéral, c'est assurément Tocqueville qui a le mieux attiré notre attention sur les menaces qui pèsent de l'intérieur sur ce modèle et risquent d'en préparer la désintégration : une désintégration lente, mais inéluctable si le libéralisme n'allume pas lui-même les contre-feux dont il a besoin. Ce pourquoi, dans cette optique tocquevillienne, le républicanisme, plutôt qu'un modèle alternatif, apparaît constituer bien davantage l'aiguillon dont le libéralisme politique a besoin pour triompher de ses propres démons. Encore faudrait-il, une fois aperçue la

206

teneur de cette problématisation républicaine (tocquevillienne), envisager les formes sous lesquelles les demandes qu'elle conduit à adresser à la démocratie libérale pourraient être satisfaites – je veux dire : les types de réponse susceptibles de prendre en compte les avertissements républicains (centrés sur les dérives de l'individualisme libéral) et de corriger la trajectoire libérale sans renoncer directement aux principes libéraux eux-mêmes. Bref : comment « républicaniser » le libéralisme ? Pour répondre à cette question sous la forme d'une rapide typologie des possibles, je propose de distinguer trois formes de républicanisme moderne, en me bornant ici à interroger leur aptitude plus ou moins grande à ne pas échapper au cadre libéral [1].

TROIS RÉPUBLICANISATIONS DE LA DÉMOCRATIE LIBÉRALE

Evoquant trois républicanisations possibles du libéralisme, je laisse délibérément de côté dans cette brève typologie les réponses à la probléma-

---

1. Dans d'autres contextes argumentatifs (*Alter ego. Les paradoxes de l'identité démocratique*, Paris, Aubier, 1999, p. 162-192, « La discussion républicaine du libéralisme moderne », in *Histoire de la philosophie politique*, t. IV, *op. cit.,* p. 323-358), j'ai développé plus longuement l'analyse de ces possibles : plutôt que d'explorer des traditions, il ne s'agit ici que de tester la compatibilité de tels possibles avec les exigences qu'on vient de dégager.

tisation républicaine (tocquevillienne) qui exige-
raient expressément, de façon pleinement
assumée, un renoncement délibéré au cadre libéral – en clair : les réponses antimodernes réacti-
vant par exemple, contre le libéralisme, des
schémas archéo-républicains, comme cela avait
pu être le cas chez un penseur aussi important
que Hannah Arendt, ou comme ce peut l'être
aujourd'hui chez quelqu'un comme Alasdair
MacIntyre. Ne retenant que les réponses qui ne
revendiquent pas leur entrée en contradiction
avec les principes de la modernité politique, je
les évoque selon leurs aptitudes croissantes à ne
pas faire exploser le cadre de la démocratie libérale.

Un premier type de solution envisageable n'a
besoin d'être ici mentionné que pour mémoire.
C'est le plus tentant, celui que nous avons déjà
entrevu à travers l'insistance avec laquelle la tradition républicaine cultive la thématique de la
vertu ; c'est aussi le plus exposé à échouer. Il
correspond en fait à ce qu'on pourrait appeler
un libéralisme républicain moral : perspective
qu'illustre au mieux, chez Rousseau, la tentation
de préparer les volontés individuelles à l'exercice
de la citoyenneté en rendant les hommes moins
exclusivement soucieux d'eux-mêmes qu'ils ne
le sont devenus sous l'effet de la corruption
moderne et d'une civilisation minée par la
recherche du luxe. S'efforcer d'échapper sur ce

mode à la dérive individualiste de la modernité, ce serait donc moraliser les individus, par une sorte de rééducation à l'intérêt général susceptible de les réimpliquer, à marche plus ou moins forcée, dans l'exercice de la souveraineté. Difficile de ne pas voir se profiler ici la perspective d'un despotisme moral, celui qui conduit expressément Rousseau à envisager que, dans une cité bien policée, la conscience de chacun se fasse obéissante aux lois « parce qu'elle est forcée à être libre » : faut-il apercevoir là, comme le suggère Charles Taylor dans son essai sur le multiculturalisme, la matrice des « formes les plus terribles de tyrannie homogénéisante, depuis la Terreur jacobine jusqu'aux régimes totalitaires » du XXe siècle ? De Rousseau à Robespierre ou à Staline, les filiations sont sans doute plus brouillées, mais du moins ne peut-on récuser aisément que, sous la forme morale que lui a donnée Rousseau, la problématisation républicaine du libéralisme tende à se recourber de façon inquiétante dans le sens d'un absolutisme, donc à rompre avec la perspective libérale d'une limitation de la puissance publique. Par opposition à cette tentation rousseauiste de la moralisation des consciences, j'ai déjà suffisamment souligné ce qu'avait au contraire de moins déraisonnable une autre tradition républicaine, celle qui, de Machiavel au *Fédéraliste*, fait davantage appel à l'intelligence qu'à la vertu, pour écarter méthodiquement cette première piste.

Qu'est-ce qu'un peuple libre ?

Charles Taylor, qui, je l'ai noté à l'instant, récuse sans concession l'option « vertuiste », partage pourtant avec le républicanisme la conviction qu'à se fonder trop exclusivement sur la valorisation des droits individuels, la démocratie libérale risque d'induire un déficit de participation à la vie publique : aussi ne paraît-il pas absurde de chercher dans le type de position qu'il défend un souci, plus accentué que chez les purs libéraux, des conditions sous lesquelles chacun pourrait être conduit à situer sa propre dignité, non pas dans la seule jouissance de droits individuels, mais dans sa contribution effective à la mise en place de lois assurant le bien de la collectivité. De fait, pour tout un courant de pensée, où s'inscrivent Taylor ou Michael Walzer, il s'agit bien, sans rompre avec le cadre libéral, de rectifier la trajectoire du libéralisme moderne en corrigeant un « malaise de la modernité » décrit expressément en termes d'individualisme et de repli sur soi : ce pourquoi ce courant qu'on qualifiera de communautarien modéré s'applique à faire valoir que la solution recherchée passerait avant tout par la recréation d'un sentiment d'appartenance à la communauté, imposant que l'on tente de refonder la cité sur les contenus d'une culture partagée par une communauté de traditions et de valeurs. Libéralisme républicain culturel : telle pourrait alors être ici la formule permettant de caractériser une démarche pour laquelle ce serait l'appartenance à une telle communauté de traditions et de valeurs héritées qui, arrachant le citoyen à l'individualisme, le réintégrerait dans le collectif et l'inciterait à participer réellement à l'exercice de la souveraineté. A partir d'un tel réenracinement culturel du collectif s'esquisserait un infléchissement non négligeable apporté au modèle libéral, présenté volontiers par Taylor comme « américain », d'une « société fondée sur les droits individuels » : un infléchissement dont toute la question serait alors de savoir à partir de quel moment il exposerait à entrer en contradiction avec certains éléments du cadre libéral – au premier chef (si l'on valorise les appartenances, *a fortiori* si l'on défend la perspective de reconnaître aux communautés culturelles des droits collectifs) avec l'adoption de l'individu comme principe et comme valeur suprême, ainsi qu'avec le principe de la neutralité de l'Etat en matière de convictions morales ou religieuses. La seule solution tempérant ces risques serait, à vrai dire, qu'un tel libéralisme républicain culturel soit aussi, plus précisément, multiculturel ou multiculturaliste – ce qui est certes le cas, en principe, chez Taylor, mais sans que l'on soit assuré de bien cerner son modèle politique : si le libéralisme républicain est culturel au sens du principe multiculturaliste, sans doute l'Etat peut-il rester neutre à l'égard des différentes cultures, tout en bénéficiant du fait que celles-ci en viennent à jouer, vis-à-vis de leurs membres, un rôle intégrateur du même type que celui des associations chez Tocqueville. Perspective tentante, assurément, dont s'accommode au mieux la façon dont Taylor, pour sa part, n'a cessé, dans le débat québécois sur la souveraineté, de se revendiquer du fédéralisme : choix qui suppose bien qu'il adhère à un Etat fédéral métaculturel susceptible de rester dans le cadre de la neutralité libérale. Reste que 1) la difficulté liée à ce que peut avoir d'antilibéral l'insistance sur les appartenances ou sur l'enracinement, si elle tend à dissoudre l'individu dans le collectif culturel, n'en est pas par là même résolue, et que 2) la problématique républicaine soulevée par Tocqueville n'en est pas non plus levée pour autant – puisque, si le correctif culturel ne joue pas au niveau de l'Etat fédéral, pourquoi ce niveau suprême du politique ne donnerait-il pas naissance aux mêmes risques de désimplication et de désinvestissement civiques que ceux qu'avait pointés Tocqueville ? Bref, ce modèle du libéralisme républicain culturel n'est pas, sans doute, rigoureusement inenvisageable : je nuance ainsi, partiellement, les critiques que j'avais adressées, dans le passé, à Taylor, mais je n'en continue pas moins de trouver hautement énigmatique la teneur de ce libéral-communautarisme. Pour emporter plus franchement l'adhésion, il mériterait en tout état de cause d'être

reformulé plus expressément à partir d'une inscription dans le cadre libéral et sous la forme
d'une interrogation sur la manière dont le libéralisme politique peut, à partir de lui-même,
intégrer, sous condition (= sous condition de
compatibilité avec ses principes), une certaine
prise en compte des appartenances culturelles.
J'ai pour ma part consacré plusieurs travaux à
tenter une telle reformulation : on me pardonnera
de ne pas souhaiter revenir davantage sur une
telle option [1].

Aussi est-ce plutôt à un troisième type de libéralisme républicain, peut-être moins exposé, que
je voudrais consacrer, au-delà de ce simple repérage des voies possibles, la fin de ce livre : celui
qui, correspondant le plus fidèlement à l'esprit de
ce qu'avait tenté Tocqueville à partir de son intérêt pour les associations, prendrait la forme d'un
libéralisme républicain politique. Dans cette
optique, ce ne serait ni la vertu ni les identités
culturelles qui cimenteraient les individualités et
leur redonneraient le sentiment que leur participation à la vie publique n'est pas inutile et correspond à leur intérêt, mais bien plutôt la création
de structures politiques plus démocratiques parce
que, de bas en haut de la société, plus participa-

---

1. Je renvoie notamment à *Alter ego*, *op. cit.*, et, selon une
argumentation plus récente et plus « politique », à *Qu'est-ce
qu'une politique juste ?*, Grasset, 2004, II, 1 : « La République
face au pluralisme culturel ».

tives : auquel cas l'intérêt bien compris de l'individu (et non sa moralité, ni sa conscience d'appartenance à un groupe) continuerait d'être le seul ressort du fonctionnement de l'Etat de droit. Clair indice que cette transformation du libéralisme politique en constituerait bien une auto-transformation, demeurant dans un cadre proprement libéral, mais repensant les institutions et leur fonctionnement dans une perspective authentiquement démocratique : simplement, la visibilité plus forte et la lisibilité plus assurée des effets de la participation en termes d'intérêts individuels seraient mieux à même de convaincre les individus de pratiquer leur citoyenneté. Où l'on retrouverait l'idée, que le prochain chapitre va s'employer à tester, selon laquelle ce que la démocratie (libérale) a défait, seule la démocratie (libérale) peut le refaire, en s'attachant à recomposer un tissu démocratique susceptible de corriger les effets pervers (atomisants) de la dynamique individualiste.

CHAPITRE III

Revitaliser la démocratie

Je me suis appliqué jusqu'ici à étayer la perspective selon laquelle une revitalisation républicaine du libéralisme ne saurait s'entendre, pour ne pas être excessivement périlleuse, qu'en termes proprement politiques, sous la forme d'une transformation des procédures démocratiques elles-mêmes. A partir de quoi s'ouvre alors l'espace d'un nouveau débat. Non plus seulement un débat possible ou virtuel entre des modèles que la réflexion sur la dynamique démocratique et ses éventuelles dérives fait surgir, mais un débat qui se trouve avoir été (ce qui n'est pas l'un de ses moindres intérêts) bel et bien réel, entre les deux représentations de l'idée démocratique qui, durant ces dernières décennies, ont le mieux correspondu au profil que je viens de tracer. Chacun à sa façon, le libéralisme revisité par John Rawls et le républicanisme dont se réclame Jürgen Habermas, sans préciser toujours suffisamment qu'il s'agit d'un républicanisme lui aussi remodelé, procèdent en effet d'une tentative pour éviter un conflit frontal entre les deux traditions de pensée et d'action qui sont ainsi mobilisées et se partagent aujourd'hui l'héritage démocratique.

Un tel conflit, qui ne profiterait que trop aux partisans de l'antimodernisme, demande assurément à être surmonté. C'est à œuvrer en ce sens que je me suis jusqu'ici, d'ores et déjà, appliqué dans ce livre : pour autant, la démarche entreprise ne signifie nullement à mes yeux l'abandon aux séductions commodes d'un fade consensus. Aussi comprendra-t-on sans peine qu'il me soit apparu justifié de prolonger et d'approfondir encore cette recherche, sur la lancée de ce qui a déjà été amorcé, en m'attachant à clarifier la logique du débat où ces deux appréhensions de la démocratie se sont le plus fortement rapprochées l'une de l'autre sans pour autant se confondre [1]. L'évocation de ce désaccord raisonné constitue à mes yeux la meilleure chance de dresser un ultime état des lieux de ce que je tiens pour la problématique politique la plus profonde de notre temps.

---

1. J. Habermas, J. Rawls, *Débat sur la justice politique* (1995-1996), trad. par R. Rochlitz, Paris, Ed. du Cerf, 1997. Ce volume réunit pour l'essentiel deux papiers de Habermas, critiquant Rawls, et de Rawls, répondant à Habermas, parus dans le *Journal of Philosophy* de mars 1995. Habermas est revenu ensuite sur ce débat dans un papier publié en 1996 dans *Die Einbeziehung des Anderen* et non repris dans la traduction française (*L'intégration républicaine*, Paris, Fayard, 1998).

LES HÉSITATIONS DU LIBÉRALISME POLITIQUE

Dans sa présentation critique des thèses de Rawls, Habermas s'attache à faire ressortir ce qui est sans doute une difficulté inhérente à tout libéralisme politique conscient des périls mis en évidence par Tocqueville.

D'un côté en effet, il est constitutif de la démarche libérale de refuser toute subordination de la sphère du droit et de la politique à celle de la morale – ce qui serait le cas si la consistance de la cité dépendait de l'adhésion des citoyens à des valeurs morales imposées par l'Etat, notamment à travers le processus éducatif. J'ai déjà évoqué, au début de ce livre, comment Rawls estime qu'une telle option « vertuiste », qu'il identifie à l'humanisme civique de Rousseau, serait incompatible avec le libéralisme politique et sa neutralisation de la sphère publique vis-à-vis des choix de valeurs : en l'absence d'une telle neutralisation, l'individu ne serait plus libre de fixer ses buts de vie, mais il viserait nécessairement des buts imposés par la médiation de valeurs qui lui auraient été socialement inculquées. En ce sens, parce que la démocratie libérale fait du respect de l'individu et de ses libertés la condition sans laquelle un peuple ne saurait être libre, elle requiert de tracer entre droit et morale une ligne de partage rigoureuse – bref : de tenter de penser le droit sans la morale. Toute la question est cependant d'apprécier si une telle tentative peut véritablement se développer sans se trouver contrainte, à un moment ou à un autre, de se renier.

D'un autre côté en effet, la démarche démocratico-libérale ne peut pas accepter jusqu'au bout de confier la mise en place des conditions d'existence d'un peuple libre à une raison se réduisant à un simple calcul d'intérêts. Du moins le libéralisme contemporain, sous la forme que lui a donnée Rawls en s'attachant à refonder les principes de justice qui lui servent de soubassement, a-t-il cru devoir exclure cette éventualité. Une telle réduction de la rationalité démocratique à la raison calculante est certes, dans l'optique libérale, fort tentante pour éviter les dérives du « vertuisme » : à plusieurs reprises dans notre parcours, nous avons rencontré, de fait, la perspective selon laquelle, pour faire l'économie d'une fondation de la coexistence sur la vertu des citoyens, la reconnaissance par chacun des limites à imposer à sa liberté passerait par la simple intelligence de l'intérêt bien compris. Jusqu'à quel point cette perspective, classiquement libérale, peut-elle pourtant être assumée ? C'est sur ce point précis que le reprofilage rawlsien du libéralisme politique demeure, plus de trente ans après la publication de la *Théorie de la justice*, fort édifiant : la réduction de la rationalité démocratique au calcul de l'intérêt se trouve en effet avoir caractérisé l'utilitarisme, à l'orbite duquel Rawls entend précisément arracher la théorie et la pratique de la démocratie. On souligne trop peu, en général, les raisons pour lesquelles ce choix était à la fois original, compréhensible et cependant fort exposé.

Le choix rawlsien était profondément original par rapport à ce qui avait fourni jusqu'ici au libéralisme l'une de ses fondations intellectuelles, à savoir toute une tradition de pensée et d'action qui passait notamment par Jeremy Bentham et John Stuart Mill. L'un comme l'autre, ainsi que ceux qui, après eux, se réclamèrent de leurs intuitions, furent d'incontestables théoriciens de la démocratie libérale et de la valeur qu'elle accorde aux droits individuels, aussi bien Bentham par sa défense du suffrage universel (il fut l'inventeur du fameux slogan, repris en Afrique du Sud lors de la lutte contre l'Apartheid : « un homme, une voix ») que Mill par sa contribution pionnière à l'élargissement du droit de suffrage aux femmes. Pour autant, Rawls n'a eu de cesse de présenter sa propre reconstruction de la démocratie libérale comme requérant de rompre avec les ressources de l'utilitarisme : originalité certaine, je le répète, vis-à-vis de ce que l'appel au calcul de l'intérêt épargnait, en matière de confusion du droit et de la morale, à bien des théories (disons-les « républicaines ») de la démocratie.

Original, ce choix apparaît aussi, rétrospectivement, compréhensible de la part de Rawls, dans la mesure où les ambiguïtés du principe de l'utilitarisme, qu'il a amplement contribué à mettre en lumière, ne peuvent aisément être récusées. Je ne saurais ici les évoquer en détail et me bornerai à pointer ce que Rawls a examiné pour sa part de façon autrement minutieuse. Le principe de l'utilitarisme consiste à estimer que ce qui doit être visé en matière de justice consiste dans le bonheur du plus grand nombre : certes, en matière de répartition sociale (des ressources aussi bien que des pouvoirs), il peut y avoir des « plus » et des « moins », ou, si l'on préfère, des inégalités, mais pour déterminer la répartition la plus juste, il faut et il suffit de calculer ce qui est, tous comptes faits, le plus bénéfique au plus grand nombre des individus concernés. Or un tel principe est-il compatible avec notre conviction, constitutive de l'humanisme moderne, selon laquelle, si nous sommes proprement des personnes, c'est que nous nous tenons tous pour incomparables ou insubstituables les uns aux autres – cette insubstituabilité constituant précisément la marque de notre dignité humaine ? En ce sens, dans un peuple libre (c'est-à-dire un peuple dont les membres sont eux-mêmes respectés dans leur liberté), une personne ne peut être sacrifiée aux autres, et la souffrance des uns ne peut être compensée par l'augmentation du bonheur de certains autres : bref, et je n'irai pas au-delà de ce rappel, dans la logique de l'utilitarisme, ce qui est inacceptable aux yeux de Rawls, c'est le « tous comptes faits » qui intervient dans l'argumentaire quand la raison calculante estime que, « tout bien pesé », mieux vaut sacrifier le bonheur des uns pour assurer le bonheur du plus grand nombre. Ce « tout bien pesé » ou ce « tous comptes faits » est incompatible avec notre intuition selon laquelle, toute personne étant incomparable à qui que ce soit d'autre, je ne peux inscrire son bonheur ou son malheur dans un calcul algébrique des plus et des moins qui présuppose précisément l'abstraction de ce qu'il y a d'incomparable dans les existences humaines et qui fait que chacune doit être absolument respectée. Rawls a entrepris pour sa part d'ajouter à cette objection majeure bien d'autres éléments de discussion de l'utilitarisme : reste que, fondamentalement, c'est cette dimension même du calcul, appliquée à la sphère de l'humanité, que sa discussion fait ressortir, dans la démarche utilitariste, comme incompatible avec les principes les plus sacrés de l'univers démocratico-libéral. Au-delà de la question « philologique » de savoir si une telle discussion a ou non laissé toutes ses chances à l'utilitarisme, qui entreprendra de soutenir que, sur le fond des choses, l'objection ainsi portée contre toute réduction de la rationalité démocratique à une forme de la raison calculante n'était pas justifiée ?

Originale et compréhensible, la position prise par Rawls, dans son effort pour refonder le libéralisme politique sur d'autres bases, n'en était pas moins, j'ai annoncé cette appréciation, fort exposée. J'entends : exposée à des difficultés intrinsèques qui pourraient bien devoir marquer les limites du libéralisme lui-même, dès lors qu'il entend faire en sorte que la raison qui ordonne la société ne soit pas la raison calculante ou calculatrice au sens d'un simple calcul des intérêts. Beaucoup d'analyses de sa tentative, à commencer par celle de Habermas, ont fait ressortir dans la logique libérale, à ce niveau précis, l'existence de ce qui peut être présenté comme un dilemme difficile, voire impossible à surmonter à l'intérieur du cadre libéral lui-même :

– Ou bien les principes de la coexistence et de la coopération sociales sont justifiés par référence à certaines valeurs que l'argumentation se trouve contrainte de mobiliser lors de l'instauration des normes de justice qui vont être mises en œuvre pour organiser la société : auquel cas ce qui s'apparente ainsi à un moment de confusion entre le droit et la morale induit (selon une critique développée par Rawls lui-même à l'égard du républicanisme « vertuiste ») un ordre politique à risques autoritaires.

– Ou bien les mêmes principes ne doivent être étayés sur aucune justification morale qu'il faille mobiliser dans le débat public destiné à en faire reconnaître la validité : dans ce cas, comment la nécessité devant laquelle nous place la démocratie elle-même de produire des arguments en faveur de ce que vont être les normes de la coexistence et de la coopération ne conduirait-elle à recourir à ce qui peut apparaître comme la seule rationalité encore disponible une fois exclue la rationalité morale : celle du calcul des intérêts ? Or, outre que ce repli sur la rationalité calculante remettrait en scène les apories propres de l'utilitarisme, rien ne nous garantit (c'est le moins que l'on puisse en dire) qu'une telle figure de la raison soit vraiment apte à donner à l'ordre démocratique la consistance dont il a besoin : tout laisse penser en effet qu'il s'agit là d'une rationalité faible, fluctuant comme fluctue l'appréciation par chacun de ses propres intérêts. De là peut alors naître la conviction que l'ordre démocratique mérite bien, pour assurer sa cohérence, une rationalité plus forte, moins déficitaire que celle du calcul des intérêts du plus grand nombre : peut-on néanmoins, en restant dans le cadre libéral, trouver une telle rationalité ?

Une telle question est celle qui, pour l'essentiel, nourrit le débat de Habermas avec le libéralisme politique : un débat qui, les termes de son échange de papiers avec Rawls en témoignent, se développe sur fond d'empathie, tant il est clair que la valorisation libérale des droits individuels constitue la moins négociable des conditions d'existence d'un peuple libre ; mais pour autant un débat sans concession, puisqu'il consiste à faire ressortir que Rawls lui-même aurait pris conscience de ces difficultés et tenté d'élaborer, après la *Théorie de la justice,* une stratégie très sophistiquée pour tenter de sortir de ce dilemme – une stratégie où Habermas diagnostique toutefois un « montage » finalement inefficace [1].

UN CONSENSUS SUR FOND DE DISSENSUS ?

Comme beaucoup de lecteurs de Rawls, Habermas estime en effet que celui-ci, depuis le début des années 1980 et, plus précisément, depuis son article sur « le constructivisme kantien dans la théorie morale », a en fait essayé de compléter sa première théorie de la justification des principes de justice par un ajout supposé renforcer les motifs d'adhésion des individus aux normes de leur coexistence. Pour simplifier, il est devenu habituel de distinguer effectivement chez Rawls deux modalités successives de justification des principes auprès des individus concernés.

En 1971, la *Théorie de la justice* aurait justifié les normes de justice en estimant que les citoyens seraient conduits à les adopter par un raisonnement purement logique, ne faisant aucunement

---

1. Je reprends ce terme de « montage » à l'analyse que Jean-Marc Ferry a proposée de ce débat entre Rawls et Habermas, dans un papier intitulé « De l'élection des valeurs à l'adoption de normes », in *La rationalité des valeurs*, coll., Paris, PUF, 1995. Je suis ici fortement redevable à ce papier brillant et suggestif. Les conclusions que je tire de l'analyse du débat n'engagent toutefois bien sûr que moi.

appel à leur bonne volonté morale, mais à un calcul procédant d'un pur égoïsme rationnel. Selon un dispositif célèbre, mais dont la portée offre matière à beaucoup d'interprétations, Rawls soutient qu'il suffit, pour parvenir à un accord sur des principes de justice, que l'égoïsme de chacun se trouve décentré par les effets d'une réflexion pratiquée sous voile d'ignorance, lequel fait que, comme chacun ignore sa place dans la société, il ignore aussi quels avantages particuliers il obtiendrait pour lui-même, égoïstement, de l'adoption de tel ou tel principe plutôt que de tel ou tel autre. En conséquence, les conclusions atteintes par chacun pour lui-même et par lui-même au terme d'un tel raisonnement pourront être impartiales, telle est du moins la conviction de Rawls, puisque, ignorant tout de lui, il calcule certes, en raisonnant par conséquent de façon égoïste, mais sur le mode d'un égoïsme élargi à tout « ego ». Si en effet chacun est conduit (en l'occurrence par ce qu'il ignore) à faire abstraction de ce qui le différencie des autres, il n'existe aucun motif de penser que la raison calculatrice en lui, pourvu qu'il ait quelque intelligence, ne parvienne pas à déterminer quels sont les principes les plus rationnels – au sens, certes, de la rationalité du calcul, mais d'un calcul élargi par les conditions mêmes de la réflexion. Auquel cas les apories qui, dans le contexte de l'utilitarisme, discréditaient le recours à la rationalité calculante se trouveraient donc levées, puisque nul n'aurait intérêt à envisager le sacrifice des uns au bonheur de tous les autres si, du fait de son ignorance sur la place qu'il occupe dans la société, il se trouvait contraint de concevoir qu'il peut aussi bien faire partie de ceux qui se trouveraient « sacrifiés » que de « tous les autres ».

Cette solution est assurément élégante : elle consiste à continuer de faire fond sur la rationalité calculante, mais en la déminant de ce qui la rendait redoutable dans son exploitation utilitariste. Solution énigmatique cependant, puisque la question demeure ainsi entièrement ouverte de savoir ce qui, au-delà de la théorie, peut, dans la pratique effective de la démocratie, jouer le même rôle que celui, purement artificiel, que la construction rawlsienne avait assigné au voile d'ignorance. Etrangement, les interprètes de Rawls qui estiment qu'il a ainsi recherché à partir de 1980 une autre solution au problème de l'accord sur les principes de justice n'imputent pas, le plus souvent, cette recherche à la conscience de ce que la première solution pouvait ainsi avoir eu d'énigmatique : il y avait pourtant là une piste qui, si elle avait été suivie, aurait, tout en conduisant au-delà de cette première reconstruction rawlsienne du libéralisme, maintenu avec elle une relation de plus grande fidélité. J'y reviendrai au terme de cette évocation de la discussion habermassienne de Rawls.

A partir de 1980, selon une lecture de l'évolution de Rawls que Habermas entérine (et dans l'appréciation de laquelle je n'entre pas ici [1]), se serait en tout cas produit un déplacement de portée non négligeable : le raisonnement correspondant à l'égoïsme rationnel aurait fini par apparaître ne pouvoir à lui seul, sous cette forme, rendre compte de la manière dont les principes de justice prétendent à la validité. Il ne suffirait plus de montrer comment et à quelles conditions les citoyens peuvent parvenir à ces principes (c'est-à-dire sous voile d'ignorance, par une neutralisation artificielle de tous les différentiels d'intérêts) : il faudrait désormais s'assurer en outre que cette conception de la justice sera, explique Habermas, « non controversée dès lors que le voile d'ignorance aura été levé », autrement dit dans le fonctionnement effectif de la communauté politique. Il s'agirait par conséquent d'établir que ces principes doivent pouvoir aussi être reconnus et acceptés par les citoyens tels qu'ils sont réellement, à partir de ce qu'ont de profondément différencié, dans des sociétés aussi pluralistes que le sont les sociétés démocratiques contemporaines, leurs convictions éthiques et leurs options philosophiques personnelles. Bref, il convient désormais de considérer que, si chacun se réfère à des valeurs simplement orientées davantage dans le sens de la

---

1. Je me suis exprimé sur ce point, en présentant mes réserves à l'égard de l'hypothèse évolutionniste », dans *Alter ego, op. cit.*, p. 75 sqq. ; voir aussi, plus complètement, A. Renaut, *Libéralisme politique et pluralisme culturel, op. cit.*, p. 39 sqq.

coopération que dans celui du conflit, de telles valeurs (les siennes propres, y compris dans ce qui les différencie, au sein d'une société libérale, donc pluraliste, de celles d'autres individus) fournissent des motifs stables d'adhésion commune à ce que ces principes énoncent. En quelque façon, dans le raisonnement de chaque individu, une argumentation morale potentiellement très différente de celle que d'autres mobilisent (en fonction de leurs valeurs de référence) interviendrait pour tester la compatibilité des normes proposées avec ses propres choix moraux : ce serait alors cette argumentation qui viendrait compléter la rationalité du calcul pour que l'adhésion aux principes parvienne à acquérir consistance et stabilité. Une consistance et une stabilité qui ne se réduiraient donc pas à la force que donne à cette adhésion la seule considération de l'intérêt rationnel.

Dit de façon plus représentable sur le plan pratique : chacun puise, de manière privée (dans sa conscience personnelle, c'est-à-dire dans ses propres ressources en matière de valeurs), les bonnes raisons qui vont motiver pour lui, dans son for intérieur, son adhésion aux principes communs de justice. Cette adhésion aura donc aussi un caractère moral, elle sera enracinée dans des « raisons morales », sans que toutefois cet enracinement fasse resurgir pour autant, entre conscience civique et conscience morale, une confusion dont nous avons perçu à de multiples reprises ce qu'elle aurait de dommageable. Ces raisons morales sont

228

en effet, dans leur soubassement et dans leur provenance, d'ordre rigoureusement privé, elles peuvent bien motiver la conviction que chacun se forge pour lui-même, je le répète, « dans son for intérieur » – ce qui, en vertu du caractère privé de ces « raisons », ne contredirait pas le projet même du libéralisme politique : celui de neutraliser l'espace public à l'égard des questions de valeurs. Reste que, puisque ces raisons existent, elles devraient permettre de donner une consistance plus assurée à la société qui choisit de s'ordonner selon des principes pouvant être jugés par chacun, certes à partir de points de vue différents, compatibles avec ses propres valeurs. Il suffit, pour admettre cette perspective, de postuler que les principaux systèmes de valeurs auxquels peuvent se référer les citoyens d'une société démocratique dégagent, par-delà ce qui les distingue et parfois les oppose, un espace minimum de recoupement qui fonde la possibilité que les mêmes principes de coexistence et de coopération peuvent apparaître justifiés, pour des raisons ultimement différentes, aux yeux de toutes les personnes concernées.

A travers cette fameuse théorie du « consensus par recoupement [1] », s'agissait-il, de la part de Rawls, de remanier ou bien d'enrichir son modèle

---

1. Le lecteur qui souhaiterait se familiariser davantage avec elle peut se reporter à *Libéralisme politique* (1993), trad. par C. Audard, Paris, PUF, 1995, Leçon IV : « Le consensus par recoupement », mais aussi à *La justice comme équité. Une reformulation de la théorie de « Théorie de la justice »* (2001), trad.

initial ? Sans entrer dans ce débat, il est du moins possible de considérer que l'opération tentée à travers une telle théorie demeurait dans le cadre libéral : elle entreprenait certes, en s'attachant à cerner les fondements du consensus normatif requis entre les citoyens d'une même société, une démarche dont le libéralisme traditionnel s'était cru dispensé (notamment parce qu'il faisait confiance, par exemple dans la tradition utilitariste, à la seule raison calculante pour leur fournir des normes partagées), mais du moins cette démarche ne faisait-elle pas du consensus moral lui-même la condition de l'accord. Esquivant une telle présupposition, qui eût fait basculer la position défendue du libéralisme politique vers un républicanisme moral de type rousseauiste, elle partait au contraire du pluralisme des systèmes de valeurs inhérent aux sociétés démocratico-libérales et n'invitait à considérer le consensus sur les principes de justice que comme le produit d'un dissensus sur les valeurs tenu pour normalement constitutif d'une société pluraliste. En ce sens, ce que Rawls a présenté lui-même comme une « reformulation » (*restatement*) de sa théorie permettrait de continuer tout à la fois de se défier des propensions du républicanisme à faire dépendre l'équilibre social du partage par tous les citoyens d'une même conception du bien (humanisme civique), et néan-

---

par B. Guillarme, Paris, PUF, 2003, notamment Cinquième Partie : « La question de la stabilité ».

moins de rendre plus représentable, sur fond de dissensus, la stabilité d'un consensus possible sur des principes partagés : des principes investis tous, pour les divers citoyens, du poids des raisons morales qu'ils ont, à partir de leur propre système de valeurs, d'y adhérer – des raisons certes distinctes, mais du moins des raisons qui, dans leur for intérieur, leur apparaissent comme de bonnes raisons. A l'horizon de cette « reformulation » pouvait alors poindre une nouvelle interrogation. Celle qui avait été le signe de ce que j'ai appelé un libéralisme républicain moral, consistait à se demander comment, par l'éducation, ancrer dans les consciences le respect des mêmes valeurs. La nouvelle interrogation, où je vois la marque d'un libéralisme républicain proprement politique, vise bien plutôt à définir des institutions délibératives suffisamment présentes, à tous les niveaux de l'édifice social, pour permettre au consensus par recoupement de prendre corps et de se perpétuer. Cette perpétuation s'accomplirait à travers la confrontation de points de vue ultimement ancrés dans des choix de valeurs différents, et cependant capables de converger publiquement, pour des raisons morales susceptibles d'être très diverses selon les consciences, autour d'options communes. Le libéralisme politique pouvait-il lui-même, après sa refondation, puis sa reformulation rawlsiennes, s'engager suffisamment loin sur cette voie, ou un tel engagement exigeait-il de sortir du cadre libéral proprement dit ? C'est sur ce point précis que le débat instrumenté par Habermas avec les positions rawlsiennes prend toute sa portée.

LA QUESTION DE LA RAISON PUBLIQUE

Habermas s'est employé à souligner tout ce que l'opération tentée par Rawls avait de subtil et peut-être de délicat. Je me bornerai à faire ressortir ici le nerf de l'argumentation par laquelle il met en doute la réussite possible de la tentative.

Dans le dernier schéma libéral explicité par Rawls, c'est bien de façon privée, on l'a compris, que chacun trouve les raisons qui pour lui motivent son adhésion aux principes qui structurent la société. Ces raisons, tout en étant privées et donc, en ce sens, subjectives, acquièrent toutefois une validité objective à travers, si je puis dire, les parties d'entre elles qui se recoupent pour tisser l'accord public sur des normes communes : le « consensus par recoupement » correspond précisément à ce par quoi ces raisons, en elles-mêmes marquées par la subjectivité des personnes privées qui les défendent, se recouvrent objectivement pour motiver l'adhésion de tous aux mêmes principes, et c'est à travers ce recoupement que les raisons privées en viennent à acquérir une existence et un usage publics, en devenant par exemple susceptibles d'être mobilisées dans un débat qui y

fera référence comme à ce qui a présidé à l'adhésion aux principes et pourrait motiver, dans la
logique des principes retenus, l'adoption de telle
ou telle législation. Ainsi avons-nous des raisons
morales éventuellement différentes d'adhérer à
des principes communs, et ces raisons différentes
n'ont pas à pénétrer, dans leur dimension de différence, l'espace public – mais en revanche ce par
quoi ces raisons différentes se recoupent et se
recouvrent peut entrer dans l'espace de la cité
comme une conviction consensuelle à laquelle les
acteurs d'une politique libérale vont se référer
publiquement, y compris l'Etat, sans transgresser
cet élément constitutif du cadre libéral que constitue la neutralisation morale de l'espace public. Par
exemple, des convictions morales différentes peuvent nous animer sur la valeur sacrée de la vie
sous toutes ses formes. Ces convictions morales
différentes peuvent s'enraciner dans des adhésions (à une religion, à une vision du monde) qui
n'ont pas à se révéler publiquement et à partir des-
quelles nous nous divisons sur des questions
éthiques comme celles de l'avortement, de l'assis-
tance au suicide ou de la peine de mort : reste
qu'elles peuvent aussi très bien se recouper pour
une part de manière à nous conduire à considérer
tous qu'il serait moralement inacceptable de sacrifier la vie de quelques-uns à la maximisation du
bonheur du plus grand nombre. Bref, nous
n'avons pas besoin d'être moralement d'accord
sur tout pour être moralement d'accord sur un cer-

tain nombre de questions : c'est alors ce consensus par recoupement qui définit une sorte de dénominateur moralement commun auquel nous acceptons qu'il soit fait référence politiquement sans nous sentir mis en cause dans notre liberté morale, c'est-à-dire dans notre droit à cultiver des convictions morales privées diverses que nul n'a le droit de nous contraindre à exprimer publiquement, ni *a fortiori* de nous demander d'abandonner pour d'autres convictions. De même conservons-nous pleinement le droit de ne pas répondre aux demandes qui pourraient nous être adressées publiquement de les exprimer, de les révéler, *a fortiori* d'en changer.

Il est difficile de ne pas convenir que le libéralisme politique trouvait ainsi, sur sa pointe la plus avancée, de quoi formuler un modèle élégant, où la possibilité d'une raison publique partagée n'annule pas, bien au contraire, l'existence, pour chacun, d'une raison privée différenciée par la pluralité des systèmes de valeurs qui coexistent dans le même espace social. L'élégance du modèle en assurait-elle cependant la réussite ? Elle ne saurait en l'occurrence se mesurer qu'à la capacité susceptible d'être reconnue à ce schéma de donner par lui-même une consistance suffisante à la société bien ordonnée.

Les réserves de Habermas tiennent en fait à la question même de savoir à quelles conditions, dans ce cadre, la raison publique peut vraiment émerger des diverses raisons privées et venir s'imposer à elles comme leur point de recoupement. La solution rawlsienne suppose en effet que, dans une société donnée, il existe davantage de convictions morales privées raisonnables, c'est-à-dire compatibles avec les conditions de la coexistence et avec le projet d'une coopération sociale, que de convictions morales privées incompatibles avec ces conditions. Simplement dit : il faut qu'il puisse y avoir recoupement. Or, force est d'en convenir (ou, si l'on préfère : rien ne nous permet de postuler le contraire), toutes les convictions morales privées, individuelles ou collectives (difficile ici de ne pas songer aux soubassements culturels ou religieux de certaines convictions), ne sont pas équivalentes du point de vue de la possibilité d'un tel recoupement – ce pourquoi, compte tenu de l'existence de telles convictions, la neutralisation morale de l'espace public ne saurait être que partielle. Il est en effet dans l'intérêt de la raison publique de favoriser la protection et le développement de celles des convictions privées qui sont les plus susceptibles de permettre l'émergence du consensus recherché, par recoupement avec d'autres qui y seraient elles aussi portées. Mais n'est-ce pas dire dans ces conditions qu'il peut appartenir à l'Etat libéral, sous la forme de l'instruction publique, non seulement de développer l'intelligence de ses citoyens, mais même de concevoir une sorte d'éducation à ce par quoi les morales privées se recoupent ?

A cette première objection, qui consiste à imputer au libéralisme « reformulé » du dernier Rawls une propension à réintroduire, pour penser les conditions de l'accord entre les citoyens, une forme d'éducation morale, il me semble encore possible de produire une réponse demeurant dans le cadre libéral. Dans une société libérale, l'école ne devrait certes pas enseigner une morale, mais elle pourrait en effet favoriser ce qui rend possible le consensus par recoupement, c'est-à-dire ce qui permet à chaque individu de percevoir que les morales (de même que les cultures et les religions) ne sont pas équivalentes du point de vue de la coopération sociale et des chances de la coexistence. Ce serait même là un noble objectif pour une éducation à la citoyenneté enfin prise au sérieux et repensée : faire acquérir, non pas une conviction morale, mais le moyen de tester les diverses convictions morales possibles. Par exemple, faire apercevoir pourquoi nous pouvons bien être en désaccord sur la valeur de toutes les formes envisageables de vie, des plus embryonnaires aux plus développées, sans être empêchés pour autant de coexister et de coopérer socialement ; mais aussi pourquoi, en revanche, nous ne pouvons envisager une coopération sociale avec quelqu'un qui défendrait une morale rigoureusement utilitariste incluant la perspective du sacrifice d'un petit nombre au bonheur du plus grand nombre. Ainsi pourrait-il être fait en sorte que nous vivions dans une société où il y ait plus de possibilités de consensus par recoupement que dans d'autres : à ces conditions et sur ces bases, le libéralisme corrigé par de telles dispositions ultimement politiques (puisqu'elles engagent l'organisation de l'instruction publique) parviendrait, semble-t-il, à échapper à ses propres travers, sans mobiliser pour ce faire une quelconque idéologie définie par de quelconques valeurs porteuses d'un contenu substantiellement déterminé.

Pouvons-nous cependant être assurés – et ici l'objection est plus délicate – que la question de savoir ce qui rend possible l'accord entre des citoyens et des groupes de citoyens animés par des convictions privées différentes se trouve, par cette sorte de filtrage des différences socialement acceptables et acceptées, suffisamment réglée ? Nous touchons là à ce que Habermas essaye en fait de mettre le plus profondément en cause dans le libéralisme de Rawls : sa résolution du problème de la possibilité même de l'accord. Aussi bien dans la version qu'en fournissait la *Théorie de la justice* que dans celle qui mobilise l'idée de consensus par recoupement, le libéralisme présupposerait en fait que cet accord existe, et que le rôle du philosophe politique est simplement de le constater. Ainsi la *Théorie de la justice* présupposait-elle que, si nous étions rationnels, il se dégagerait entre nous un accord sur les normes fondamentales de la vie en commun, et que si cet accord déjà virtuellement admis comme possible n'existe pas, c'est uniquement dans la mesure où nous ne parvenons pas à neutraliser en nous les effets de l'égoïsme : de là l'exploitation par Rawls de l'artifice constitué par le voile d'ignorance qui, dans la compréhension la plus généreuse susceptible d'en être donnée, sert à confirmer ce que l'on avait déjà posé, à savoir que virtuellement l'accord est toujours déjà là et qu'il n'y a donc pas à réfléchir sur sa constitution, ni sur les modalités de cette constitution. De même, dans la reformulation postérieure à 1980, on continuerait de présupposer, si l'on suit la critique de Habermas, que les conceptions morales privées se recoupent, comme par l'effet d'une sorte de main invisible, et que du coup il suffirait qu'elles soient en quelque sorte filtrées par le test de leur compatibilité avec le souci de la coopération sociale (filtrage auquel peut contribuer, je l'ai ajouté, l'instruction publique) pour que le recoupement déjà virtuellement admis soit rendu effectif, et que l'accord, non pas vraiment se fasse, mais simplement se constate autour du raisonnable. Bref, la pluralité des conceptions ou des positions de principes de justice n'interviendrait en fait – je reprends ici cette comparaison aussi éclairante que judicieuse à Jean-Marc Ferry – que comme une sorte de moment dans l'auto-manifestation d'un accord obtenu sans véritable confrontation des opposés – comme, dans une philosophie de l'identité de type hégélien, la différence constitue seulement un moment de l'auto-déploiement de l'identité : « résidu de philosophie de l'identité », estime

Jean-Marc Ferry en suivant ainsi Habermas, où seul le présupposé implicite et inassumable d'une main invisible pourrait faire que le consensus sur les normes soit toujours déjà acquis, comme par « l'effet d'un heureux hasard ». Contre quoi Habermas fait valoir que, si l'on prend au sérieux la volonté, affirmée par Rawls, d'autonomiser la philosophie politique par rapport à une quelconque métaphysique, le « fait du pluralisme » apparaît beaucoup plus difficile à gérer : pour savoir en effet si, de la pluralité des raisons fondées sur des visions différentes du monde et de l'existence, se dégage ou non un consensus sur des normes susceptibles de valoir publiquement dans les débats sur les questions qui nous divisent et que nous avons à régler ensemble, il faut déjà, soutient Habermas [1], qu'il y ait eu un véritable usage public de la raison sous la forme d'une discussion réelle entre les points de vue en présence. Bref, l'usage public de la raison ne commence pas après que l'on a constaté l'accord sur les normes de la vie en commun, mais il doit servir et lui seul peut servir à constituer cet accord – si tant est que cet accord puisse surgir, ce que rien ne peut garantir, si ce n'est la confirmation de cet espoir par la discussion elle-même. L'accord ne parviendrait ainsi à se manifester que dans une discussion mettant réellement à l'épreuve l'irréductibilité des

1. J. Habermas, J. Rawls, *Débat sur la justice politique, op. cit.*, p. 162.

motifs d'accepter tel ou tel principe à un quelconque intérêt particulier. Le décentrement que suppose l'accès à un tel accord ne pourrait être que le produit de l'usage public de la raison (sous la forme de la discussion), et non pas le présupposé de cet usage : sauf à redevenir, comme dans certaines configurations prises par le libéralisme classique, le produit d'une main invisible, le consensus sur les normes de la vie publique ne saurait ainsi que passer par les argumentations et les contre-argumentations d'une discussion pratique effective entre personnes concernées et par l'organisation publique de cette discussion.

Cernons une dernière fois les bases du désaccord. A suivre Habermas, le second Rawls a pris conscience que « la structure de cette théorie, plus que son contenu, ne tenait pas suffisamment compte du fait du pluralisme ». Dès 1971, le contenu de la théorie se situait certes dans la logique de la reconnaissance de ce double pluralisme des intérêts et des conceptions du bien, puisque c'est la reconnaissance de ce pluralisme qui fondait le caractère proprement libéral de la théorie (notamment sous la forme du premier principe de justice, qui fait des libertés individuelles, parmi lesquelles la liberté d'opinion et de croyance, une valeur sacro-sainte). Reste que la forme de la théorie, en ce qu'elle présupposait l'accord comme toujours déjà virtuel, n'avait alors pas assez tenu compte du fait que partir du pluralisme, c'est en vérité tenir l'accord, non pour un présupposé, mais pour un problème – à moins de faire intervenir subrepticement une métaphysique voyant dans le particulier un moment du déploiement de l'universel. De là viendrait que chez Rawls « la philosophe se réserve le droit de développer l'idée, susceptible de consensus (comprendre, selon moi, A.R. : l'idée, présupposée comme susceptible de consensus), d'une société juste », alors que « pour ma part, poursuit Habermas, je propose de limiter la tâche de la clarification (...) de la procédure démocratique à l'analyse des conditions nécessaires aux discussions et aux négociations rationnelles » : en sorte que la philosophie devrait renoncer à être « constructive » (au sens du constructivisme, c'est-à-dire au sens d'une raison qui fonderait solitairement les principes de justice et l'idéal de la société juste) pour être seulement « reconstructive », c'est-à-dire capable de dégager et de reconstruire les conditions nécessaires à la discussion. Par voie de conséquence, la « tâche de donner les réponses substantielles qu'il faut trouver ici et maintenant » devrait être tenue pour revenant ultimement et uniquement « à l'engagement plus ou moins éclairé des intéressés », c'est-à-dire à la participation effective des citoyens aux controverses publiques. Biais par lequel, à travers cette thématique de la participation effective des citoyens aux controverses publiques d'où seule pourrait jaillir la réponse aux questions qui se posent ici et maintenant, Habermas retrouve donc dans un certain républicanisme (soulignant l'importance des libertés positives) une part de vérité que le libéralisme politique de Rawls, même corrigé selon son ultime version, n'aurait pas assez prise en compte. Ce pourquoi le *Débat sur la justice politique* se clôt sur une apologie par Habermas du « républicanisme kantien, tel qu'(il) le comprend » : il resterait certes à apercevoir pourquoi cette « compréhension » du républicanisme s'en présente aussi comme une réinterprétation, voire comme une transformation, mais en tout état de cause le libéralisme politique, dans l'état où Rawls l'a laissé, aurait achoppé sur la production même de cette « raison publique » dont il avait pourtant contribué si fortement à promouvoir l'idée.

Vers une démocratie délibérative ?

Toute la stratégie habermassienne, dans ce débat avec les formes les plus avancées du libéralisme politique, aura consisté au fond à révéler la part de républicanisme que la position libérale, une fois reformulée, contient à son insu. Si l'on part en effet, comme le prétend Rawls, du pluralisme des opinions et du fait que les opinions sont toujours déjà substantiellement nourries par les divers systèmes de valeurs auxquels les individus adhèrent, il faut bien supposer, pour envisager la détermination de principes de justice sur lesquels il y aura accord, que les citoyens sont orientés, dans leur réflexion sur ces principes, non seulement par les systèmes de valeurs auxquels ils adhèrent en privé, mais aussi par le projet, qui les motive, de rechercher un accord public sur les principes de la vie en commun. Même si les argumentations et les contre-argumentations que les sujets vont développer sont nourries par leurs systèmes de valeurs et par les différences entre ces systèmes, force est en effet, pour que le dégagement d'un terrain d'accord ou d'entente pût même simplement être envisagé, que leur réflexion soit soutenue par un souci partagé de s'accorder sur une base raisonnable – faute de quoi la délibération (même simplement la délibération de chacun avec lui-même sur ce qu'il peut considérer comme les meilleurs principes de justice) n'aurait aucune chance de s'enclencher. Ce serait ainsi à cette condition seulement (celle du partage d'un tel souci de s'accorder) que les convictions privées pourraient, comme le souligne la théorie du consensus par recoupement, ne pas constituer un obstacle à l'atteinte d'un accord public tenu par tous pour équitable. Bref, il faut qu'il se trouve déjà, entre les citoyens, cette sorte d'accord préalable, tacite, antérieur à l'accord final et explicite qui sera atteint sur les principes, puis sur leurs diverses applications : un accord préalable qui porte sur le simple fait de s'en remettre à l'argumentation pour valider telle ou telle norme de justice, un accord qui donc précède l'accord recherché – comprendre : l'accord sur les principes doit être précédé par un accord sur le fait de s'en remettre à l'argumentation publique pour promouvoir des normes de justice intégrant le mieux possible les intérêts de chacun et répondant donc au critère de l'universalisation possible des intérêts. Dit encore autrement : il faut qu'un espace public soit déjà donné, avant même celui que les principes de justice vont organiser et structurer sous la forme d'une société bien ordonnée.

Avons-nous affaire ici à une sorte de cercle vicieux dont il faudrait tirer argument contre la perspective d'une fondation argumentative des normes de notre coexistence et de notre coopération sociales – autant dire : contre la perspective globalement moderne selon laquelle nous ne tenons pour juste, selon le mot de Hegel, que ce qui nous apparaît être tel, ou, en d'autres termes, ce que nous pensons avoir de bonnes raisons de tenir pour juste ? Question qu'il faut d'autant plus se poser que c'est à partir d'un tel argumentaire que s'est déployée la démarche de type communautarien consistant à soutenir que la modernité politique présuppose toujours l'accord qu'elle entend fonder : pour sortir de ce cercle, il importerait au premier chef, ont estimé les penseurs communautariens, de ne pas entrer dans le processus moderne de la légitimation argumentative, mais plutôt de prendre pour point de départ l'appartenance des membres d'un groupe à une histoire et à une culture partagées. Ce serait alors précisément le fait même qu'ils partagent cette histoire et cette culture qui produirait entre eux cet accord sur la base duquel ils conviennent de rechercher dans l'héritage de leur histoire ou dans l'héritage de leur culture (selon une démarche plus reconstructrice qu'argumentative) les normes de leur être-ensemble.

Je n'entends pas revenir ici sur les objections qui me semblent devoir être adressées au communautarisme [1]. Il présente, entre autres inconvénients, celui, redoutable, de ne rassembler les membres d'une communauté qu'en séparant l'homme de l'homme, en clivant les êtres humains selon le principe de ce qui est étranger à certains et de ce qui ne l'est pas – principe qu'à la fois l'humanisme et le cosmopolitisme invitent à combattre. Pour autant, ne pas revenir sur les dangers du communautarisme n'élimine pas la difficulté qu'il parvient à souligner dans la démarche libérale et, plus généralement, moderne, au niveau de cette présupposition même de l'accord, c'est-à-dire de cette présupposition d'un espace public précédant la fondation de cet autre espace public que sera la société bien ordonnée. Il paraît délicat en effet de ne pas convenir que le libéralisme se heurte en ce point précis à une aporie – qu'il peut d'autant moins aisément surmonter quand il prend

---

1. Le lecteur peut se reporter sur ce point à *Alter ego*, *op. cit.*, Première Partie : « Le libéralisme politique et ses ennemis ».

la forme qu'il a chez Rawls, c'est-à-dire la forme d'un libéralisme dont le soubassement philosophique ne serait pas utilitariste. Si l'on fonde en effet le libéralisme politique sur un utitarisme philosophique (comme dans la tradition qui passe par Bentham et John Stuart Mill), on parvient à résoudre assez aisément le problème de la possibilité de l'accord préalable en termes de calcul des intérêts – au sens où chacun s'aperçoit d'abord qu'il a intérêt à s'accorder avec les autres sur le principe de la discussion plutôt que sur le principe de violence. En revanche, si, comme Rawls, on refuse (d'ailleurs pour de bonnes raisons) cet enracinement utilitariste du libéralisme, par exemple en faisant tomber sur les individus réfléchissant aux normes un voile d'ignorance qui leur dissimule leurs intérêts, ce type de solution apparaît exclu – et le risque de circularité devient d'autant plus fort.

Ce constat condamne-t-il la modernité politique à une sorte d'aveu d'impuissance, qui précipiterait la victoire des communautarismes ? Mon souhait est assurément tout autre, et c'est pourquoi la problématisation républicaine du libéralisme me semble, de ce point de vue aussi, d'une extrême importance. Jusqu'en ce point de la réflexion, son importance nous était apparue consister plutôt en sa capacité de mettre en évidence les dérives possibles de la société libérale, par atomisation du social, vers une société pulvérisée : contre quoi la problématique républicaine intervenait pour suggérer la recherche de remèdes. Désormais, c'est, non plus au niveau de dérives éventuelles du modèle libéral que la difficulté pointée par la critique républicaine réapparaît, mais au niveau de sa fondation même, sous la forme d'une énigme originaire tenant à la possibilité de l'accord, sur une base de pluralisme, autour de la forme de la discussion.

Telle que l'interprète Habermas, la réponse républicaine à cette difficulté (réponse où il voit la part de vérité du républicanisme moderne et qu'il essaye de séparer des présupposés philosophiques qui furent jusqu'ici ceux de ce républicanisme) consiste à essayer de sauver la modernité politique par un surcroît de modernité : au lieu de présupposer l'accord, comme le fait le libéralisme politique (en s'exposant alors à la critique communautarienne), il s'agirait de le thématiser politiquement – c'est-à-dire de faire de l'accord préalable lui-même un objectif à produire politiquement par un jeu institutionnel. En clair : ce serait à la démocratie elle-même, en se faisant non plus simplement « représentative », mais aussi, de plus en plus, « délibérative », de prendre en charge l'instauration de la raison publique à travers la mise en place, entre l'individu et les institutions gouvernementales, d'un dispositif vaste et continu d'instances de délibération destinées à organiser des procédures de discussion et d'argumentation publiques partout où, dans l'espace social, il s'agit d'opter pour des normes communes requérant d'être fondées en raison.

Cet enrichissement de la figure classiquement représentative de la démocratie par une dimension accrue de démocratie délibérative suffit-il à résoudre le problème de la raison publique, tel que, si l'on suit Habermas, même la reformulation par Rawls de sa théorie de la justice l'avait laissé en suspens ? Avant de faire part de ce que sont ici mes doutes et pour pouvoir le faire en toute netteté, je ressaisis une dernière fois ce qui distingue ainsi, à partir de leur point d'aboutissement, les deux grandes traditions, libérale et républicaine, qui n'ont cessé depuis plus de trois siècles de diviser la réflexion des Modernes sur la démocratie.

Sous la forme que lui a donnée Rawls, le libéralisme politique consiste à soutenir que, pour pouvoir être reconnus par tous, les principes structurant la coexistence et la coopération sociales doivent être neutres par rapport aux valeurs entrant dans des visions du monde concurrentes : la sphère publique s'en trouve par définition conçue comme faisant preuve de la plus grande tolérance vis-à-vis de ces visions concurrentes, entre lesquelles elle n'a aucunement à choisir, dès lors du moins que ces visions sont compatibles avec l'idée même d'une telle concurrence, autrement dit avec la seule valeur que la conception libérale de la démocratie implique de défendre, y compris politiquement : celle du pluralisme. En ce sens, pour la conscience libérale, c'est un tel pluralisme qui, comprenant en lui l'affirmation de la liberté (notamment des convictions et des croyances) comme sacrée, constitue la valeur ultime – puisque c'est uniquement de la concurrence entre les divers systèmes normatifs que peut sortir, à partir du dissensus, le consensus par recoupement supposé fonder entre les partenaires sociaux un accord suffisant pour assurer la consistance du lien social.

Sous la forme que retient Habermas, l'infléchissement introduit par le républicanisme dans la conception de la démocratie considère au contraire que nous ne saurions attendre cette consistance d'un simple recoupement intervenant de façon plus ou moins mystérieuse entre nos façons si diverses de nous représenter ce qui fait la valeur de l'existence individuelle et collective. Si la réussite du projet démocratique est effectivement suspendue à la consistance d'un lien social fragilisé par la dynamique leucémisante de l'individualisme, il faut s'attacher à produire cette consistance : ce serait en fait l'instauration politique de procédures participatives qui, organisant la délibération entre individus et groupes concernés par les choix engageant la coexistence, conditionnerait ultimement la validité de toute norme prétendant avoir une portée reconnue, sinon par tous, du moins par le plus grand nombre. Bref, aucune norme ne serait, en démocratie, susceptible d'être reconnue si elle ne se dégageait de procédures publiques de délibération : la condition de possibilité d'une raison véritablement publique, transcendant les clivages qui séparent et souvent opposent les dimensions privées de la raison, résiderait donc dans un usage généralisé du débat argumentatif, lequel seul, à travers le libre échange des raisons mobilisables par chacun en faveur de ce qui lui apparaît raisonnable, permettrait sur les questions de justice sociale et politique l'émergence de choix acceptables par l'ensemble des intéressés.

Où l'on retrouve au fond, à peine modifiée, la distinction entre liberté négative et liberté positive : Rawls, en plaçant la liberté des croyances et des convictions au rang de valeur suprême de la communauté démocratique, privilégie la liberté-indépendance, donc la liberté négative; Habermas, en réinscrivant cette valeur de la liberté-indépendance sous la valeur encore supérieure de la liberté-autonomie, se place dans la perspective d'une positivisation de la liberté comme liberté-participation. La montagne, en l'occurrence ce débat contemporain sur la justice politique, doit-il dès lors être tenu pour n'avoir accouché que d'une souris ? Je n'en suis pas sûr, et ce pour deux raisons.

D'une part, du côté républicain, la version du républicanisme retenue par Habermas constitue tout de même une reprise très allégée de ce que cette tradition de pensée avait si longtemps, notamment en France, conçu comme une alternative au libéralisme, contribuant ainsi à entretenir sur ce dernier des malentendus qui en ont retardé gravement une évaluation (y compris critique) plus pondérée et mieux ciblée. Si Habermas peut en effet présenter parfois sa démarche comme échappant à la fois au libéralisme et au républicanisme, c'est bien parce qu'elle procède à ses yeux d'un républicanisme mieux compris que ce n'avait été le cas dans la tradition républicaine elle-même. Le déplacement dont relève cette meilleure compréhension, et qui rend l'antagonisme avec le libéralisme moins frontal qu'il ne l'avait jamais été (au point de ne plus relever que d'une « querelle de famille »), tient pour l'essentiel au fait que cette nouvelle version du républicanisme n'oppose pas à la valeur libérale de l'individualité (ou du sujet individuel) celle du sujet collectif qu'avait été supposé constituer jusqu'ici le peuple souverain. Plus précisément, la théorie de la démocratie délibérative, que défend Habermas, s'attache à désubstantialiser la souveraineté populaire, en refusant de voir dans le peuple un sujet collectif tout fait, tout constitué, pour ainsi dire donné comme tel, comme identique à soi et transparent à lui-même : ce sujet-peuple, sorte d'instance fondatrice ultime, constitue tout autant, dans la tradition démocratico-républicaine, une illusion métaphysique ou spéculative que pouvait l'être, dans la tradition cartésienne de la philosophie de la conscience, la notion d'un sujet individuel tout constitué dans la transparence et l'adéquation à soi du *cogito*. Le sujet-peuple n'existe pas davantage comme tel, comme une donnée immédiate de la politique, que n'existe le sujet individuel, comme une donnée immédiate de la conscience : dans les deux cas, si la référence à une telle subjectivité, individuelle ou collective, a un sens, c'est à condition que ce sujet constitue un simple horizon, dont nous avons à nous rapprocher par des procédures permettant de l'édifier. Ce pourquoi le républicanisme dont Habermas accepte de se réclamer se trouve qualifié par lui de « kantien », non sans prudence au demeurant (« le républicanisme kantien, tel que je le comprends ») : « kantien », c'est-à-dire, en l'occurrence, non « rousseauiste ». Dans une certaine tradition (par exemple jacobine) se réclamant de Rousseau, être républicain équivalait en effet à substantialiser le sujet-peuple, à le concevoir comme un substrat tout monté, institué et constitué par lui-même au fondement de la vie sociale : c'est contre une telle illusion substantialiste du sujet-peuple que s'édifie un autre républicanisme quand le peuple se trouve aussi désubstantialisé qu'avait pu l'être, dans la *Critique de la raison pure*, le sujet-conscience en devenant une exigence ou une méthode, et non plus un substrat. Infléchissant la théorie de la démocratie dans le sens d'une démocratie délibérative, Habermas répète et prolonge le geste kantien sur le terrain politique, sous la forme d'une nouvelle désubstantialisation du sujet, cette fois comme sujet-peuple, lequel se trouve lui aussi transformé en une méthode ou une procédure : celle de la formation des normes collectives par soumission aux conditions procédurales de la discussion et de l'argumentation publiques. Raison pour laquelle, de ce côté déjà, celui du républicanisme, cette étape du débat entre la version libérale et la version républicaine de l'idée démocratique ne me semble pas accoucher d'une simple souris : à la question de savoir ce que peut bien être un peuple libre, le républicanisme tel que le comprend Habermas ne consiste pas à y voir le soubassement substantiel d'un modèle politique alternatif à celui de la démocratie libérale, mais plutôt une façon de désigner les conditions procédurales sous lesquelles seulement la formation de la raison publique pourrait s'accomplir de façon moins fragile que sous la forme, libérale, d'un consensus issu d'un recoupement purement postulé entre les raisons privées. Transformer la raison publique de ce simple pari qu'elle était dans la tradition libérale en un ensemble de procédures susceptibles de s'incarner dans des instances délibératives à créer et à multiplier : il y a là, dans l'objectif ainsi assigné à un républicanisme dégrisé, un renouvellement qui m'apparaît déjà, par lui-même, de nature à réarticuler de façon moins stérile les relations entre démocratie libérale et démocratie républicaine.

Ce sentiment me semble, d'autre part, pouvoir être confirmé par la prise en compte de ce qui, symétriquement, s'est accompli, après la relance rawlsienne, dans le camp libéral. Il est en effet symptomatique à cet égard que l'idée de compléter la démocratie représentative par une dimension forte de démocratie délibérative se trouve aujourd'hui aussi familière aux penseurs libéraux qu'elle peut l'être aux républicains habermassiens. Parmi les héritiers de Rawls, beaucoup acceptent en effet eux aussi de prendre acte du fait que la simple raison ne suffit pas pour, à partir des désaccords qui sont le lot d'une société optant en faveur du pluralisme, faire surgir le consensus normatif que requiert la consistance du lien social [1]. Selon les représentants de ce libéralisme prenant acte des limites de ce que Rawls avait tenté, il ne suffit pas non plus, pour que ce qu'exprime la volonté du peuple légalement incarnée dans des instances parlementaires ou gouvernementales soit effectivement reconnu par les citoyens, que les droits individuels de chacun se trouvent respectés : il faut en outre que le contenu

---

1. Encore peu connues en France (mais qu'est-ce qui, dans un délai raisonnable, est connu en France, en matière de réflexion politique, que la France n'ait pas elle-même produit?), des pensées comme celles d'Amy Gutmann et Dennis Thompson (coauteurs de *Democracy and Disagreement*, Cambridge, MA, Harvard University Press, 1997) incarnent assez bien cette orientation « délibérative » de la théorie libérale la plus récente. Pour une présentation de leurs positions, de leur intérêt, mais aussi des difficultés qu'elles rencontrent, je renvoie le lecteur français au papier fort précieux de D. Weinstock, « Démocratie et délibération », *Archives de philosophie*, juillet-septembre 2000.

de cette expression de la volonté démocratique apparaisse comme le produit d'une véritable délibération engageant bien d'autres espaces de discussion et d'appropriation de la décision que les arènes démocratiques classiques. Comment, de fait, ne pas en arriver à cette conclusion quand nous assistons de plus en plus, dans la vie de nos démocraties, à ces difficultés récurrentes auxquelles se heurtent les pouvoirs politiques légitimement en place pour inscrire dans l'effectivité les choix auxquels ils procèdent, et ce, de plus en plus souvent, quelques mois à peine après un succès électoral que personne ne conteste et au terme d'un processus où tous les droits garantis par la constitution ont été respectés ? Faut-il en conclure que les démocraties sont ingouvernables, ce qui nous plongerait dans des difficultés infinies ? Faut-il en tirer la conviction qu'il s'agit de redonner plus de pouvoir aux gouvernants, comme s'ils n'en avaient pas assez ou comme si le fait d'en avoir plus encore pouvait régler, sans dégâts pour les libertés démocratiques, le problème du déficit de justification auquel s'affronte aujourd'hui la pratique du gouvernement des sociétés individualistes ? Faute de pouvoir accepter de telles conclusions ou de telles convictions, quelle autre piste explorer que celle qui, dans le cadre libéral lui-même (c'est-à-dire sur la base des garanties classiquement libérales apportées par l'Etat de droit aux libertés individuelles), consiste à s'interroger sur les ressources d'institutions démocratiques

255

nouvelles, fournissant des espaces de délibération mieux à même de construire cette raison publique dans laquelle parviendraient à se reconnaître moins difficilement les raisons privées qui nous divisent? Bref, un point de contact est en train aujourd'hui de s'établir, autour de cet enrichissement « délibératif » de l'idée démocratique, entre un républicanisme dégrisé de ses propres illusions et un libéralisme politique conscient de ce qu'avaient été jusqu'ici ses limites, même là où il s'était le plus renouvelé. Ce point de contact est-il pour autant destiné à devenir un point de fusion? Je ne suis ni assuré que tel est ce qui se dessine, ni certain que la voie de la démocratie délibérative soit, pour l'avenir de la théorie et de la pratique démocratiques, aussi royale qu'on pourrait éventuellement se trouver porté à l'imaginer.

Conclusion

Le point de contact qui est en train de s'établir entre libéraux et républicains autour de l'intégration à l'idée démocratique d'une plus forte dimension délibérative présente assurément un intérêt non négligeable : celui de déminer, entre les deux réponses encore disponibles à la question de savoir ce qu'il peut en être d'un peuple libre, bien des conflits inutiles dans lesquels nous avons coutume de nous complaire en France.

Pour autant, ce point de contact n'est pas destiné à constituer un point de fusion. J'en veux pour signe la façon dont, manifestement, deux courants sont aujourd'hui en train de se dessiner chez les défenseurs de la démocratie délibérative.

Du côté des penseurs de la délibération inspirés par Habermas [1], le recours au processus délibératif est entendu de façon maximaliste, au sens où il est tenu pour requis par le respect du pluralisme que les contraintes imposées à la délibération, là

---

1. Je pense notamment à Seyla Benhabib et au riche volume qu'elle a dirigé, *Democracy and Difference*, Princeton, Princeton University Press, 1996.

où elle est organisée, soient aussi réduites que possible. Seules des limitations formelles pourraient intervenir, par exemple concernant le respect du temps de parole, la règle de l'accès égal à la définition de l'ordre du jour de l'instance délibérative, etc. Aucune prise de parole, en revanche, ne devrait pouvoir être exclue par de quelconques considérations substantielles – comprendre : par égard au contenu même de ce en faveur de quoi l'un des participants entend argumenter. Ce serait même sous cette condition seulement que la soumission d'une question impliquant des choix normatifs à la délibération publique pourrait apporter, par rapport au circuit classique de la décision politique, un surcroît de légitimation et favoriser un consensus plus solide.

Du côté libéral en revanche, la conception de l'espace délibératif apparaît moins radicalement ouverte. Peut-être plus sensible à la radicalité possible des dissensus à partir desquels s'enclenche la délibération, le libéralisme délibératif souligne la nécessité de soumettre les participants, non seulement à l'obligation de respecter certaines contraintes formelles, mais aussi à la prise en compte de certains principes éthiques et politiques non négociables (ou renégociables) au terme de la délibération. Sans entrer ici dans un examen détaillé des contraintes substantielles ainsi envisagées (c'est-à-dire des contraintes ne portant plus sur la forme de la discussion, mais sur certains contenus qui devraient être exclus du débat), je noterai par exemple que, de fait, l'on peut estimer avoir de bonnes raisons de ne pas admettre parmi les positions soumises à délibération publique celles qui porteraient atteinte à la dignité intrinsèque de la personne humaine, comme ce serait le cas de conceptions fondées sur l'infériorité raciale supposée de certains individus ou de certains groupes participant, le cas échéant, à la discussion.

Aujourd'hui très vif, ce désaccord sur la teneur des contraintes à inclure dans les conditions de la délibération présente la particularité de faire resurgir une forme paradoxale de clivage entre « républicains » et « libéraux ». Le paradoxe tient ici au fait que ce sont les « républicains » qui défendent de la façon la plus sourcilleuse l'accueil dans l'espace délibératif de toutes les positions concevables et le respect le plus scrupuleux, y compris pour les partisans des positions inférorisant certains groupes ethniques ou culturels, du droit à argumenter librement en faveur de leurs choix de valeurs. Le débat se réintroduit donc, pour ainsi dire, à front renversé, mais en tout état de cause il se réintroduit : signe, d'ores et déjà, que l'enrichissement délibératif de l'idée démocratique ne lève pas toutes les difficultés.

Parmi ces difficultés, il en est une qui me paraît soulever les interrogations les plus délicates concernant ce que l'on désigne volontiers comme le tournant délibératif de la théorie démocratique :

un tournant qui, si ce qui s'y joue déborde, comme c'est souhaitable, la sphère purement théorique, devrait aussi engager la pratique même de nos démocraties. On peut en effet se demander si l'offre de participation à des instances délibératives, dans les administrations, dans les quartiers, dans les services publics ou ailleurs encore, créera par elle-même un besoin de s'engager dans de tels espaces : comment être véritablement assuré que les habitants d'un quartier, les étudiants ou les enseignants d'une université, les agents d'un service répondront positivement à l'appel qui leur serait ainsi lancé de s'engager dans un débat argumentatif régulier sur des choix aussi complexes que ceux qui engagent la formation, dans tel ou tel domaine, d'une raison publique ? Un seul exemple, mais que l'on pourrait démultiplier à l'infini : dans une université qui compte 26 000 étudiants, la mienne, quelques centaines d'entre eux participent aujourd'hui aux élections de leurs représentants aux conseils centraux où se prennent des décisions qui engagent l'organisation et la finalité de leurs études. On dira qu'une telle situation témoigne de ce que les conseils concernés ne sont pas de véritables espaces de délibération et que, pour ce motif, ils n'exercent sur les étudiants aucun pouvoir d'attrait véritable. Est-on sûr cependant de tenir ainsi le plus profond motif de ce type de fuite devant la participation à des instances délibératives ? Ne faut-il pas y voir aussi et, peut-être, surtout le signe que, dans une sphère sociale donnée, le plus grand nombre des individus touchés par les choix structurant la coexistence et la coopération n'ont pas, à l'âge de l'individualisme le plus exacerbé, de vocation spontanée à s'impliquer activement dans la prise collective de décision ? Auquel cas, si cette vocation n'est pas spontanée, comment la déclencher ? Chacun perçoit sans peine que, face à une telle question, le vieux dilemme entre l'appel libéral à l'intérêt bien compris et la mobilisation républicaine de ce qu'il faut bien considérer comme des vertus (civiques ou non) conserve toute son acuité.

J'ajouterai encore que, dans cette situation de faible investissement des espaces délibératifs par les acteurs auxquels s'appliquent les décisions, le risque est très grand de voir se développer, au sein des instances délibératives, une sorte de « nomenklatura » constituée par le petit nombre de ceux qui, pour de bonnes ou mauvaises raisons, envisagent de devenir, au moins partiellement, des professionnels de la délibération : est-on assuré que ce soit là, de toute évidence, la voie d'une revitalisation de l'expérience démocratique ?

Le retour de pareilles interrogations signifie-t-il que la réflexion sur les conditions d'émergence d'un peuple vraiment libre, exerçant pleinement cette souveraineté dont la modernité politique l'avait reconnu seul détenteur légitime, doit se clore sur un constat d'impuissance ? Une impuissance à rendre effective la mise en œuvre d'un principe que, pourtant, nous ne discutons plus : à quoi bon, si tel devait être le point d'aboutissement de débats si vifs et si durables sur la représentation de la démocratie, les poursuivre encore, à quoi bon même leur avoir accordé ici l'attention que j'ai sollicitée pour leur subtilité ? Le bilan du parcours accompli sur ces questions par la réflexion et par la pratique des Modernes ne m'apparaît pas à vrai dire devoir être apprécié si sévèrement. Parallèlement et à son niveau, le bilan que je crois devoir tirer de ce livre, même compte tenu des difficultés qui viennent d'être mises en évidence, ne me semble pas si mince. Essayons de l'énoncer sans emphase certes, mais sans laisser échapper non plus ce qui s'est dégagé au fur et à mesure du trajet.

A partir d'un conflit frontal dont j'ai essayé de montrer selon quelle logique profonde il est venu s'inscrire, entre républicains et libéraux, dans la conception de ce qui fait la liberté d'un peuple libre, nous avons vu progressivement s'esquisser, puis se préciser des pistes permettant de réduire la vigueur de l'affrontement. Tantôt cette réduction s'est opérée de l'intérieur d'une des deux traditions en présence, chez Machiavel, chez les auteurs du *Fédéraliste* pour ce qui est de ceux qui se réclamaient d'une forme de républicanisme, chez Tocqueville dans un camp libéral s'ouvrant lui-même aux exigences républicaines. Tantôt, dans les débats les plus contemporains, entre

Conclusion

Rawls et Habermas, mais aussi entre ceux qui prolongent aujourd'hui leurs choix respectifs, la discussion, sans aboutir à un fade consensus, a pris bien davantage la forme de nuances : des nuances certes non négligeables, mais qui n'entament pas désormais l'adhésion à la perspective selon laquelle, entre les citoyens d'un peuple libre, c'est la construction purement politique d'une raison publique, sur fond de pluralisme des convictions morales, religieuses ou philosophiques, qui doit permettre de garantir au mieux les conditions du bien commun. Reste qu'à partir d'un programme qui, à partir du républicanisme ou à partir du libéralisme, conduit à privilégier aujourd'hui la recherche d'un enrichissement délibératif de l'idée démocratique [1], des divergences interviennent à nouveau dans la façon de concevoir l'organisation et le fonctionnement de ces nouveaux « forums de la raison publique » (l'expression est de Rawls) dont on espère qu'au-delà des arènes parlementaires traditionnelles ils parviendront à donner une nouvelle consistance à la souveraineté du peuple.

---

1. La convergence fut particulièrement frappante au début des années 1990 quand Rawls, dans *Libéralisme politique*, évoquait dans une longue note les « positions libérales » exploitant l'idée de « démocratie délibérative » (1993, trad. citée, p. 260-261), et quand Habermas, dans *Droit et démocratie*, s'attachait à cerner « les processus de formation délibérative de l'opinion et de la volonté » publiques (1992, trad. citée, p. 352 – tout le chapitre VII de cet ouvrage étant consacré à expliciter les conditions d'une « politique délibérative »).

Parce que la fécondité démocratique de ces forums délibératifs requiert que l'on parie à nouveau soit sur l'intelligence des citoyens souverains, soit sur leur capacité d'investissement civique, une place demeure ouverte pour deux infléchissements distincts d'une même politiques. Faut-il le regretter ? Sans doute pas, si tant est que cette différenciation maintenue et mieux située nous fait échapper à ces guerres d'un autre âge qui continuent, au premier chef dans le contexte français, d'hypothéquer la possibilité même d'un débat raisonnable entre libéraux et républicains : un débat dont le régime ne serait plus celui des anathèmes, mais d'une prise de conscience réciproque que, des deux côtés, c'est à une réelle différence de sensibilité que sont dus des désaccords ne touchant plus à l'essentiel. Un libéral fait en principe confiance aux individus tels qu'ils sont ; un républicain mise davantage sur ceux qui (éducateurs ou politiques) ont la charge de les rendre meilleurs. Le premier croit pouvoir faire un peuple libre avec des individus animés par leurs passions, par la poursuite de leurs intérêts ; le second estime nécessaire de s'attacher d'abord à ce par quoi un peuple libre requiert que ses membres situent leur liberté dans l'exercice de la citoyenneté, et il ne répugne pas à créer de l'extérieur les conditions (même situées, aujourd'hui, dans la simple organisation d'espaces publics de délibération) les forçant ou, du moins, les incitant à cette liberté. Sans doute cette dif-

Conclusion

férence de sensibilité permet-elle encore, de part et d'autre, l'échange de vigoureuses objections : du moins devrions-nous désormais nous trouver très loin de pouvoir continuer à considérer que le libéralisme politique est un gros mot et que le républicanisme correspond à une ringardise. Nous en sommes très loin partout où la réflexion politique s'arrache à certains de ses plus vieux démons et où le débat peut se développer à nouveau sur des bases moins insensées : est-ce d'ores et déjà le cas en France ? J'ai écrit ce livre parce que, pour le moins, je n'en étais pas certain.

TABLE

Cet ouvrage a été composé et imprimé par

FIRMIN DIDOT
GROUPE CPI

Mesnil-sur-l'Estrée

pour le compte des Éditions Grasset
en Octobre 2005

Imprimé en France

Dépôt légal : octobre 2005
N° d'édition : 13965 – N° d'impression : 74495
ISBN : 2-246-67461-1